Jean de

Libertine

roman érotique

Guy Saint-Jean
ÉDITEUR

Catalogage avant publication de la Bibliothèque nationale du Canada
Trezville, Jean de, 1938-
Libertine
ISBN 2-89455-167-3
I. Titre.
PS8639.R47L52 2004   C843'.6   C2004-941180-2
PS9639.R47L52 2004

Nous reconnaissons l'aide financière du gouvernement du Canada par l'entremise du
Programme d'Aide au Développement de l'Industrie de l'Édition (PADIÉ) ainsi que celle de la
SODEC pour nos activités d'édition. Nous remercions le Conseil des Arts du Canada de l'aide
accordée à notre programme de publication.

Gouvernement du Québec — Programme de crédit d'impôt pour l'édition de livres — Gestion
SODEC
© Guy Saint-Jean Éditeur inc. 2004
Conception graphique : Christiane Séguin
Révision : Nathalie Viens
Dépôt légal 3e trimestre 2004
Bibliothèques nationales du Québec et du Canada
ISBN 2-89455-167-3

Distribution et diffusion
Amérique : Prologue
France : CDE/Sodis
Belgique : Diffusion Vander S.A.
Suisse : Transat S.A.

Guy Saint-Jean Éditeur inc.
3154, boul. Industriel, Laval (Québec) Canada. H7L 4P7. (450) 663-1777.
Courriel : saint-jean.editeur@qc.aira.com   Web : www.saint-jeanediteur.com

Guy Saint-Jean Éditeur France
48, rue des Ponts, 78290 Croissy-sur-Seine, France. (1) 39.76.99.43.
Courriel : gsj.editeur@free.fr

Imprimé et relié au Canada

Libertine

roman érotique

Avant-propos

Je fais souvent ce rêve étrange et pénétrant
D'une femme inconnue, et que j'aime et qui m'aime
Et qui n'est, à chaque fois, ni tout à fait la même
Ni tout à fait une autre, et m'aime et me comprend.
PAUL VERLAINE

Ce roman est en fait l'histoire d'une femme qui a traversé ma vie sans que je puisse vraiment ni l'approcher ni la surprendre, et encore bien moins la comprendre. Elle a été néanmoins l'inspiratrice de ces pages. Elle se cache derrière chaque moment décrit, elle cautionne chaque histoire, elle valide chaque acte. Christine dilettante ? Pour tous ceux qui perçoivent l'érotisme comme un art, elle en est indéniablement la somme.

Est-ce une œuvre littéraire d'une audace nouvelle ? Est-ce un récit osé aux limites de l'érotisme ? *Libertine* est tout cela et bien davantage. À travers ces pages, le lecteur découvrira une femme indépendante d'esprit et de fortune qui se raconte et dont le comportement représente l'essence même de la recherche du plaisir dans un monde où le dilettantisme n'a plus vraiment sa place.

Est-ce aussi la recherche de la liberté dans le libertinage, de la jouissance dans l'abandon à la luxure, de la libération des sexes dans la sensualité, de l'érotisme dans l'exercice de l'écriture ?

Christine a-t-elle vraiment existé ? Seuls ses amants et amantes le savent, pour le plus grand plaisir de l'imaginaire.

Ce livre, œuvre romanesque, fait partie d'une trilogie familiale qui jettera une lumière crue et fascinante sur l'expression de la sensualité qui se déchaîne parfois chez des êtres hors du commun.

Jean de Trezville

Les indiscrets qui liront ce roman seront certainement déroutés par sa chronologie fantaisiste. Puisque, au fond, ce sont mes aventures et mes états d'âme qui les intéressent, ils ne m'en voudront certainement pas pour ce désordre et comprendront que mes souvenirs vagabondent librement sur le chemin du désir, suivant ainsi la fantaisie et les rêves...

Un mardi soir

Il était dix-sept heures, la fin du jour approchait et le soleil en ce début de printemps était encore bas sur l'horizon. J'aimais flâner à ce moment-là de la journée au bar du Ritz, l'un des rares endroits de Montréal où l'on servait encore un thé à l'anglaise, dans une théière d'argent accompagnée d'un petit pot d'eau chaude, des sucres candis et un quartier de citron engoncé dans une minuscule presse en métal. Un raffinement auquel j'étais sensible.

Depuis mon arrivée à Montréal, j'avais pris plaisir à fréquenter cet endroit, l'un des derniers bastions de la culture hôtelière européenne réfractaire à l'invasion du prêt-à-mâcher et du prêt-à-boire ensaché et aseptisé nord-américain. L'ultime forteresse de l'élégance et d'un certain luxe...

Il faut dire que j'ai eu la chance de naître au sein d'une famille de la grande bourgeoisie française, avec tout ce qu'il faut de moyens pour n'avoir rien à faire de mes dix doigts pour gagner ma vie. Et pourtant, je ne me suis jamais ennuyée. Quiconque le désire peut trouver dans l'oisiveté des opportunités étonnantes. Pour ma part, elle m'a offert la possibilité de vivre avec une passion machiavélique les aventures les plus osées. Elle m'a donné l'occasion de me divertir d'intrigues que j'ai pris plaisir à développer, avec parfois, je l'avoue, un soupçon de perversité, allant jusqu'à manipuler, au gré de mes fantaisies, le cœur et l'âme de ceux et celles qui ont croisé mon chemin au fil des ans.

Au fait, je me présente : Christine. C'est peu et c'est tout. Je vous ai déjà dit que j'étais bien née. Cela devrait vous suffire pour vous convaincre que je suis une femme du monde, dotée de bonnes manières et d'un riche vocabulaire que j'ai utilisé à bon escient pour aimer, flatter, ensorceler, parfois même pour humilier, mordre, dédaigner, voire détester. Car détester en prétendant le contraire dans le but avoué de se faire aimer, n'est-ce point là la perversité suprême, comme dirait le divin Marquis ?

Si je n'avais pas été oisive à plaisir, j'aurais été putain de métier. Mais je me contentais d'être une salope qui buvait son thé au Ritz en planifiant ses jouissances de la soirée, prête à tout pour que l'on soit fou ou folle d'amour pour elle. L'éternel jeu de l'amour et de la séduction. Le «je t'aime moi non plus» du désir. L'excitation de se donner et de se refuser en même temps...

Le thé était sublime, je le dégustais à petites gorgées, mes doigts serrant délicatement la fine porcelaine anglaise pendant que mes yeux, pudiquement baissés, observaient et intriguaient. Assis près du piano, il y avait l'homme d'affaires, certainement Anglais d'origine, dont la fine moustache lisse et soignée en disait plus long sur sa distinction que la vieille mallette de cuir tachée qui se prélassait à ses pieds. Il m'observait du coin de l'œil, surveillant mes gestes, à l'affût du moindre signe qui l'émoustillerait.

Une femme d'affaires élégante, plutôt élancée, aux longs cheveux bruns, vêtue d'un tailleur à rayures au pantalon bien coupé, était assise devant moi à quelques tables de là. Tout en faisant mine de lire *The Economist*, je la sentais troublée par ma présence, croisant et décroisant les jambes nerveusement et regardant par-dessus ses lunettes à monture d'écaille légèrement teintées. Un pur produit de la gent féminine revendicatrice, froide, en parfait contrôle d'elle-même malgré une sourde inquiétude qui semblait l'habiter, ou peut-être bien un fond d'insécurité qui l'incitait à rechercher une lueur de sympathie dans le regard d'autrui. Je lui offris le mien, un peu par-dessous, comme intimidée. Elle plongea ses yeux dans les miens, intriguée et insistante, je décroisai mes jambes et lui laissai entrevoir la zone sombre qui s'enfonce entre mes cuisses, à la lisière de la jupe de mon tailleur. Elle rougit, tenta sans succès de reprendre sa lecture, tourna son regard vers le pianiste qui jouait un air de Gershwin puis vers le maître d'hôtel occupé à déposer un glaçon dans le whisky d'un vieux monsieur. Mais, attiré comme un aimant par la lisière de ma jupe vénéneuse, son regard revint à moi, irrémédiablement fasciné. Je rapprochai mes jambes et lui fermai son champ de vision. Elle me regarda, rouge et troublée, avec un questionnement dans ses yeux pâles.

Mais je n'étais pas là pour amuser la galerie et pousser les jolies femmes au péché, même véniel. J'attendais Catherine qui tenait absolument à me rencontrer. Une amie commune avait organisé ce rendez-vous. Apparemment, Catherine était très amoureuse de son mari, un jeune écrivain au talent que je considérais comme incertain, et elle aurait bien aimé le voir gravir les marches d'un Goncourt ou d'un Renaudot. Catherine avait su par cette amie qu'en raison de mes relations amicales ou amoureuses avec Aurèle, un célèbre directeur de collections d'une maison d'édition parisienne, celui-ci ne pouvait rien me refuser. Et comme toute femme amoureuse, Catherine était prête à tenter l'impossible pour que son tendre René puisse atteindre la notoriété. Elle m'avait donc conviée à un dîner à l'Express, l'antre favori de l'intelligentsia montréalaise, afin de me présenter son mari et que, ne doutant pas de son génie, je le propulse à Paris chez mon éditeur préféré.

J'avais donné rendez-vous à Catherine au Ritz, cadre idéal pour entamer une conversation sur le dernier livre du cher René. Ce que Catherine ignorait, c'est que j'avais fait la connaissance de son mari quelques mois auparavant lors d'un vernissage. Il m'avait draguée puis, force cocktails plus tard, m'avait soustraite à la foule de la galerie pour m'emmener dîner chez Laloux. Le dîner s'était terminé par une inévitable partie de jambes en l'air dans un motel de la Rive-Sud. Le seul souvenir impérissable que je gardais de la soirée était l'immense bain tourbillon en forme de cœur où René m'avait laissée sur ma faim. Malgré toute leur bonne volonté, les hommes sont souvent incapables d'assurer l'orgasme libérateur de leur partenaire.

J'avais donc été, l'espace de quelques heures, l'amante du mari de Catherine qui n'était certainement pas au courant de l'escapade. La soirée s'annonçait cornélienne et je comptais bien m'amuser de la situation pour tirer le maximum de plaisir, sinon de jouissance, de ce dîner organisé autour de prémisses pour le moins singulières.

Catherine entra enfin, elle était en retard. J'avais la certitude que c'était elle, cela ne pouvait être qu'elle. Jeune, dans la trentaine épanouie, enveloppée dans un magnifique pardessus de soie chinoise, les cheveux auburn et le teint de pêche rosé par le froid qui avive les peaux délicates, Catherine s'approcha d'un pas sûr. J'étais sa chose, sans doute abondamment décrite par l'amie commune. Elle se laissa choir dans un fauteuil bleu qui se voulait Louis XV, après m'avoir spontanément baisé les deux joues comme à une vieille copine. Elle babilla comme une enfant, ne sachant pas trop comment m'aborder et noyant le poisson sous un flot de gentillesses et de banalités, allant de la difficulté à trouver un taxi quand on n'avait pas sa voiture jusqu'à la sempiternelle et obsessionnelle météo. Tous les nouveaux venus à Montréal constatent avec stupéfaction le rapport quasi sado-masochiste que les Montréalais de souche ou immigrants de quelques années entretiennent avec le temps qu'il fait. «Il fait beau mais il fait frais.» «Il fait un temps de cochon, mais la pluie s'est arrêtée voilà cinq minutes et il paraîtrait que pour demain, on annonce une journée ensoleillée avec quelques flocons» ou, selon la saison, «des périodes nuageuses». Je ne saisis toujours pas les raisons de cette fascination des Montréalais pour le temps qu'il fait. Et Catherine ne dérogeait pas à la règle.

Elle me parla enfin du succès de librairie du dernier livre de René qui n'était rien en comparaison de celui que connaîtrait le prochain puisqu'il serait publié, sans nul doute, dans la Ville lumière. Elle bougeait bien et s'animait. Ses jolis seins faisaient des rondeurs dans son décolleté échancré comme s'ils voulaient s'échapper du soutien-gorge de dentelle que l'on devinait sous le chemisier de soie noire. Elle commanda pour moi un martini et un *margarita* pour elle. Elle avait instinctivement décrété que j'étais une fille à boire des martinis, ce qui n'était pas faux. Malgré son assurance, je remarquais une

11

certaine fébrilité; elle ne tenait pas en place, agitant sans cesse les pieds dans ses petits bottillons de cuir italiens, remuant les fesses et le buste comme si l'immobilité était un grave défaut.

Catherine regarda sa montre, il approchait dix-neuf heures, elle estima le temps venu de quitter le bar et se propulsa debout comme mue par un ressort. J'enfilai ma pelisse en rajustant quelque peu la jupe de mon tailleur et ramassai mon sac de cuir rouge. Catherine me prit par le bras et, semblables à deux compères, nous sortîmes dans le hall de l'hôtel et commandâmes un taxi au chasseur toujours disponible. Je suivis Catherine qui s'engouffra la première dans le taxi. Nous étions à peine assises que le chauffeur démarra en trombe. Catherine mit délicatement sa main sur ma cuisse, pour me rassurer. Sa paume toute chaude et sa présence à travers mon bas m'émurent. Sa spontanéité était contagieuse. Moi qui croyais avoir de la facilité à communiquer mes instincts les plus torrides à travers des gestes souvent précis et délibérés, je me trouvais soudain dépassée par ces jeux de mains qui laissaient entrevoir une féminité voluptueuse et sans restriction. Je m'abandonnai, posant ma main sur la sienne après avoir pris soin de retirer mon gant. Catherine fut surprise mais ne retira pas la sienne, bien au contraire. Il me sembla qu'elle appuya plus fort, encouragée par mon attitude.

Nous remontâmes la rue Saint-Denis et, quelques instants plus tard, le taxi s'arrêta devant la porte de l'Express. Je regardai Catherine dans les yeux, elle ne cilla pas et me donna un baiser furtif sur la bouche. Je me mis à penser que la plus délurée des deux n'était peut-être pas celle que je croyais. À moins que Catherine n'ait été véritablement naïve et spontanée. J'ouvris la portière, Catherine paya le chauffeur et me tendit la main pour que je l'aide à s'extraire de la voiture. À l'extérieur, une giboulée déposa sur nos visages de lourds flocons de neige qui sentaient bon la venue prochaine du printemps. Catherine se précipita vers la porte du restaurant et je la suivis. Elle fendit la foule bigarrée qui s'agglutinait à l'entrée et se dirigea vers une table où René lisait distraitement son journal. Catherine, du genre de celle qu'on suit, prenait l'initiative de tout et surtout, précipitait les événements, sans agressivité toutefois, avec une aisance naturelle qui m'émerveilla. Elle semblait bien dans sa peau, tourbillonnante et virevoltante, pleine d'une joie de vivre contagieuse.

Depuis notre rencontre, à peine une heure plus tôt, je me sentais gauche et empotée. Alors que j'avais habituellement le contrôle de la situation, voilà que j'étais incapable de reprendre l'initiative. Une fois que nous fûmes installées, les présentations faites, un curieux silence s'installa autour de la table, plus lourd en raison du brouhaha général. René, comme le font tous les hommes en pareille situation, me lâcha le petit «enchanté» machinal de celui qui ne m'avait jamais vue. Hypocrite, il prétendait s'intéresser à moi comme à une personne totalement inconnue que sa femme lui présentait pour la première fois. Pire, il ne baissa même pas les yeux quand je lui rappelai que nous avions fait connaissance au vernissage de Nantel, quelques semaines auparavant. L'insolent poussa l'audace jusqu'à lancer un : «C'est drôle, je ne me souviens pas...» avec un petit sourire à son épouse. Tous les mêmes... Mais ce petit intermède allait me permettre de reprendre la situation en main.

René proposa une tournée d'apéritifs avant de choisir un plat parmi les délices de la carte renommée de l'Express. Catherine commanda un deuxième *margarita*, René se contenta sagement d'un jus de tomate. J'avais commencé la soirée avec un martini sec, je décidai donc d'opter pour un second. Catherine consulta le menu, décrivant les plats à haute voix avant de choisir finalement un saumon en croûte de sel. René commanda une bouteille de cahors et des rognons à la moutarde. Je choisis quelque chose de léger, des côtes d'agneau vert pré, tout en observant mes deux compagnons de table. René paraissait distrait et semblait chercher parmi les clients du bistro un visage connu ou ami. Catherine, tout en sirotant son *margarita*, parla de choses et d'autres, allant de son boulot dans le domaine de la pub qu'elle trouvait rasoir, jusqu'à l'enquête du dernier *Elle Québec* sur la sexualité féminine. Je constatais qu'elle ne s'amusait pas, qu'elle cherchait désespérément à amener la conversation sur le livre de René et surtout, qu'elle enrageait devant l'apparente indifférence de son mari qui ne me prêtait pas plus d'attention qu'à un pot de fleurs.

C'était à moi de jouer. J'attaquai en m'adressant à Catherine et lui racontai dans le détail ma dernière rencontre avec mon ami, le directeur de collections d'un éditeur parisien, appuyant sur les petits détails salaces du genre :

— Vous vous rendez compte, Catherine, alors que nous dînions Chez Lipp, il me caressait les fesses tout en parlant à Philippe Sollers. Et chaque fois que Sollers lui répondait, il essayait de remonter sa main le long de ma cuisse, tout en s'assurant que la nappe cache ses manœuvres d'approche.

Mes propos firent sortir René de sa torpeur et il me regarda d'un air intrigué et émoustillé. Je continuai donc à parler littérature et gestes grivois, ce qui finit par le dérider. Catherine, elle, gloussa d'aise et savoura tous mes propos. Le garçon apporta le vin que René goûta en connaisseur. Je poussai mon avantage en glissant ma jambe gauche contre celle de Catherine. Je ressentis la douceur du mollet et décidai d'y appuyer légèrement le mien. Elle leva vers moi un regard interrogateur, je lui souris et poursuivis mon récit tandis que ma jambe se retrouvait prisonnière de Catherine, bien décidée à ne pas lâcher prise. Tout cela, sans que René ne se doute le moins du monde de notre petit jeu.

On nous apporta les entrées. Le foie gras était délicieux bien que le pain grillé fût froid. Nous mangeâmes avec appétit, René servit le vin et nous levâmes nos verres au succès du prochain bouquin du cher René. Je repris la parole :

— Vous savez, Catherine, votre coquin de mari joue à celui qui me voit pour la première fois. Pourtant l'autre soir, au vernissage, il m'a détaillée de haut en bas, et c'est peu dire parce que je portais un chemisier très échancré qui lui a certainement tapé dans l'œil...

Cette fois, René passa du blanc au rouge en s'étranglant avec un morceau de pain grillé. Catherine lui demanda comment il pouvait ne pas m'avoir reconnue, lui tellement porté sur les jolies filles et sur la chose. J'ai cru un moment que René allait s'étouffer pour de bon alors que Catherine et moi éclations de rire. René me lança un regard furibond. Je lui pris la main en lui disant que, s'il n'avait pas été galant ce soir-là, il pouvait au moins se reprendre au cours de la soirée... Je retirai ma main au moment où il s'apprêtait à la baiser.

— Pas au restaurant, mon cher...

Catherine était maintenant de fort bonne humeur. Comme toutes les femmes ont l'habitude de le faire, elle décida d'aller visiter les toilettes.

— Christine, voulez-vous m'accompagner ?

C'était le classique féminin, le prétexte d'aller se repoudrer ou de rafraîchir son rouge à lèvres afin de dresser entre copines le plan de la soirée ou le coup à faire à l'homme souffre-douleur qui s'ennuie seul sur sa chaise...

J'emboîtai le pas derrière Catherine et ensemble, nous nous dirigeâmes vers les toilettes pour femmes qui, à l'Express, sont particulièrement exiguës. Aussitôt la porte refermée, Catherine se pressa contre moi. Sans ambiguïté, elle plaqua ses lèvres rouges sur ma bouche et en força l'entrée d'une langue de chatte pointue et dure. Elle me déclara qu'elle avait envie de moi, qu'elle voulait baiser avec moi et faire un pied de nez à l'écrivain de ses rêves qui, comme par hasard, semblait tout à coup la moindre de ses préoccupations. Son insistance à se coller à moi, la chaleur de ses seins contre mon corsage et ses mains tripoteuses commencèrent à agir sur ma libido, et je sentis monter en moi une chaleur que seule l'émotion produite par la conduite de Catherine pouvait justifier.

Je la repoussai tendrement. Elle me demanda à brûle-pourpoint si j'avais couché avec René. Je lui racontai dans le détail ce qui s'était passé avec René lors du vernissage de Nantel ; elle n'était pas le moins du monde surprise.

— Je savais bien que ce salaud me trompait, dit-elle avec une moue de petite fille au cœur meurtri.

Je glissai ma main sur son ventre plat et caressai son entrejambe. Elle leva les yeux vers moi, presque reconnaissante, approuvant à l'avance la proposition que je m'apprêtais à lui faire.

— Catherine, lui dis-je, voilà, nous allons punir René. Après le dîner, nous irons chez moi et nous ferons l'amour toutes les deux sans nous occuper de lui. Cela lui apprendra à ne plus te tromper.

Elle me promit de ne faire aucun geste à l'endroit de René. Catherine était tellement émue par ma main qui maintenant s'introduisait sous sa jupe au-delà de la lisière de ses bas qu'elle aurait promis n'importe quoi. On frappa à la porte, nous nous rajustâmes toutes les deux puis ajoutâmes un trait de rouge sur nos lèvres et un nuage de poudre sur nos joues. Nous sortîmes ensemble sous le regard acerbe d'une mégère aux cheveux noirs et crépus, ulcérée du temps que nous avions mis à nous refaire une beauté.

René nous attendait, visiblement agacé, tapotant ses doigts sur la table. Le moment était venu, lui semblait-il, de parler de choses sérieuses. Il commanda des cafés et s'apprêtait à m'adresser la parole lorsque Catherine s'interposa et lui annonça que nous allions tous les trois prendre un verre chez moi. René ne manifesta pas un grand enthousiasme, loin de là. Catherine le supplia, soulignant qu'elle ne connaissait pas mon appartement de la rue Redpath et qu'elle tenait de plus à voir les dessins de Carzou que j'avais rapportés de mon dernier voyage à Paris. Elle ajouta que lui-même serait plus à l'aise pour parler de son livre que dans le brouhaha de l'Express. René régla l'addition et nous aida à enfiler nos manteaux. Il nous devança vers la sortie, héla un taxi garé à proximité et, quelques instants plus tard, nous roulions vers mon appartement et ses trésors.

Le chauffeur nous déposa devant l'édifice et nous dûmes enjamber les vestiges de neige sale entassée le long de la rue que le printemps n'avait pas encore emportée. Aussitôt entrée chez moi, je reconnus l'odeur de mon parfum, cette odeur si caractéristique de mon environnement. J'étais fière d'avoir su conférer à ce petit intérieur sur deux étages, confort et féminité. Les rideaux de chintz, la toile de Jouy qui recouvrait les murs, les meubles napoléoniens de mon père et quelques beaux objets et tableaux, tout concourait à créer une ambiance de boudoir feutrée et voluptueuse, telle une prolongation de moi-même.

Nous jetâmes nos manteaux sur une chaise. Catherine se laissa tomber dans un canapé de soie grège tandis que René s'assit, genoux serrés, dans un fauteuil à oreillettes trop grandes pour lui qui lui donnait un air comique d'écolier pris en faute. J'allai à la cuisine quérir un seau d'argent que je remplis de glaçons et j'approchai la desserte à liqueurs. René opta pour un whisky de malt sans eau, Catherine prit un Cointreau.

Le canapé très bas faisait remonter sa jupe de manière indécente. Elle ne manifesta aucune pudeur, bien au contraire, elle nous permit, à René et à moi, d'avoir une vision parfaite sur ses longues jambes, ce qui provoqua chez René une déglutition accélérée, sa pomme d'Adam agitant sans cesse le cou qu'il avait mince et nerveux. Il prit un magazine de décoration auquel il fit mine de s'intéresser, cachant son trouble derrière les pages qu'il tournait fébrilement. Je me servis une fine Napoléon hors d'âge et vins partager le canapé de Catherine. Elle me lança une remarque banale : « On se sent si bien chez toi Christine... » Et elle en profita pour m'embrasser et me prendre l'épaule que j'avais presque dénudée sous la délicate bretelle de mon caraco.

J'avais laissé tomber ma veste de tailleur derrière le canapé et ma gorge était libre pour subir les assauts de Catherine. La jeune femme m'étonna de fougue et d'initiative spontanée. Ses mains descendirent de mes épaules jusqu'à mes seins cachés mais libres sous la soie de la chemisette. Déjà mes mamelons durcissaient de désir contenu sous les gestes provocateurs de Catherine.

Elle, comme indifférente aux sensations qu'elle générait, d'une voix doucereuse, demanda à René de nous parler de son prochain livre. René, un peu blême et éberlué par le comportement de sa femme, nous interrogea du regard, cachant mal et sa réprobation et son excitation devant la scène qui se déroulait sous ses yeux. Il se racla la gorge et demanda à Catherine comment il devait nous présenter son livre compte tenu des circonstances. Une bosse étrange surgissait de son entrejambe et René, n'ayant obtenu aucune réponse de Catherine, dut faire un effort de concentration pour nous raconter son livre en raccourci. Le spectacle que nous lui offrions n'avait rien pour le calmer. La main de Catherine caressait maintenant mon sein dénudé et sa jupe était remontée au-delà de toute décence.

Le cher René entama son récit. L'action se passait en Gaspésie. Il s'agissait d'une saga s'apparentant à une intrigue policière, au sein d'une famille anglophone de Port-Daniel où frères et sœurs, beaux-frères et belles-sœurs s'entredéchiraient à belles dents dans une confusion d'argent, de pouvoir et de sexe. Le pauvre René, devenu totalement incohérent dans son récit, s'arrêta un moment pour reprendre son souffle. Catherine en profita pour changer de position et tourna du même coup le dos à son mari, lui laissant tout le loisir de regarder ses longues jambes parées de bas soyeux de couleur taupe, de jarretelles tendues sur les fesses et d'une minuscule culotte de dentelle perdue entre deux globes opalescents. Nos seins se touchaient, nos mamelons rigides se frottaient aux derniers pans de soie qui séparaient encore nos corps. Je mis ma main gauche autour du cou de Catherine dont la langue caressa mes lèvres, agaça un moment mes dents puis s'enfonça dans ma bouche. L'atmosphère devenait torride et irréelle, René essayant de déballer les chapitres de son roman qui se perdaient entre les murs du salon. Nous n'écoutions plus depuis un moment déjà. Catherine se frottait à moi comme une chatte et moi, ma main droite égarée entre ses cuisses, je caressais doucement son bouton d'amour, avec l'espoir de l'amener bientôt au comble de l'excitation.

La voix de René, de plus en plus saccadée, trahit son émotion grandissante. Catherine se débarrassa de son blouson et de son soutien-gorge, je ressentis la chaleur de son buste contre le mien et les mouvements qu'elle imprimait à son corps sous la caresse de mes doigts. C'est alors qu'elle lança sa main à la conquête de mon pubis dénudé. Catherine fut surprise, sa main dépassa la lisière de mes bas, remonta le long de mes cuisses brûlantes, et tout à coup elle réalisa que mon mont de Vénus était sans barrière, sans culotte importune pour freiner le mouvement de ses doigts.

Catherine se dégagea, me regarda de ses yeux suppliants et se détourna vers René qui s'arrêta brusquement dans son récit, cachant mal une virilité débordante qu'il avait libérée en ouvrant la braguette de son pantalon. Catherine me demanda dans un souffle si elle pouvait voir les Carzou. Je lui répondis qu'ils étaient accrochés dans ma chambre à coucher.

À moitié nue, elle se leva, me prit par la main et se dirigea vers l'escalier. René remit en place l'objet masculin compromettant et nous suivit, anticipant fébrilement la suite des choses. Mais déjà, aux premières marches, Catherine se retourna et lança à son mari un « Non, pas toi ! » définitif. Nous arrivâmes au premier étage comme dans un état second. Nous pénétrâmes dans la chambre, enlacées. Je fis attention de laisser la porte légèrement entrouverte pour le bénéfice du voyeurisme de René. Catherine laissa tomber sa jupe par terre et décrocha sa petite culotte qui tenait par un clip. Je la serrai dans mes bras et nous contemplâmes un moment les Carzou. Il s'agissait d'eaux-fortes coloriées à la tempera dans le style très particulier du peintre. Les quatre tableaux composaient une suite : *Léda et le Cygne,* le cygne se changeant progressivement en un amant dont la virilité s'engouffrait finalement dans l'antre féminin de Léda. Catherine frissonna, puis nous tombâmes ensemble dans le lit moelleux.

Étendues l'une contre l'autre, nos mains glissèrent vers nos zones érogènes et s'engouffrèrent dans les délices de nos sexes déjà détrempés par le désir. Catherine chercha mes lèvres pendant que sa main pénétrait de ses longs doigts agiles les derniers replis de ma fente, à la recherche de la source magique. Je fus secouée par les spasmes du désir et répondis sans effort aux caresses précises de Catherine. Elle avait une force à la fois douce et irrésistible qui incitait mon corps à réagir dans ses plus infimes recoins, sa langue pointue et ferme affolant mes seins, baisant leurs pointes devenues acérées et dures sous les attaques répétées. Je quittai ses lèvres et approchai les miennes de son sexe. Elle comprit aussitôt mes intentions et se coucha sur le dos, dans l'attente de l'assaut de ma langue. Je happai son clitoris avec mes lèvres et Catherine émit un gémissement de plaisir. Son ventre vint à la rencontre de ma bouche, forçant ma langue à la pénétrer. Elle poussa un long rugissement de lionne en chaleur, entraînée dans un orgasme sans fin qui secoua tout son corps. Je levai les yeux vers la porte et vis René, son sexe à la main, se masturbant devant le tableau que nous composions entre les coussins et les oreillers qui jonchaient le lit défait.

Catherine reprit son calme peu à peu, retrouvant les caresses et les gestes amoureux apaisés par l'orgasme. Elle me regarda de ses yeux clairs et me dit: «Mais toi, tu n'as pas joui...» Elle se lova contre moi, toute attentive aux gestes qui pourraient me procurer le plaisir qui l'avait secouée. Je lui soufflai que René nous regardait en se masturbant dans l'entrebâillement de la porte. Elle lui jeta un bref regard puis reprit ses caresses. Ses doigts fouaillaient mon sexe, à la recherche du point qui me ferait basculer dans l'orgasme. Elle était très douée et je sentis une douce chaleur monter de mon bas-ventre. Je regardai René qui s'agitait frénétiquement, les yeux exorbités, à la limite de sa jouissance d'homme, et ce fut là le déclic. René jouit en projetant sur le tapis de longs jets de sperme, et soudain, emportée par les caresses de Catherine et la vision de René, je m'éclatai silencieusement, inondant la main de Catherine qui me regardait, heureuse.

Je me redressai contre les oreillers, nue, les jambes ouvertes, laissant mon sexe mouillé aux douces caresses de Catherine, qui avait posé sa tête bouclée sur mes seins. Je regardai René et lui intimai de quitter l'appartement, seul, en refermant bien la porte d'entrée. Il me lança un regard incrédule :

— Seul ?

Je hochai affirmativement la tête. René piqua une soudaine colère. Je l'entendis descendre les escaliers, maugréant, et la porte d'entrée claqua. Nous nous endormîmes rapidement, enlacées et repues. Quant au livre...

Un jeudi soir entre filles...

Mon aventure avec Catherine et René était déjà vieille de plusieurs semaines. Je n'avais plus entendu parlé d'eux ni du fameux livre depuis. Je fumais un puros avec une copine confortablement installée dans un bar à porto de la rue Ontario lorsque soudain, Catherine franchit le seuil du petit café. Elle avait troqué son *look* de jeune femme bcbg du milieu de la pub pour un air de gitane qui faisait ressortir ses cheveux auburn en cascades sur ses épaules. Une longue jupe de cuir noir et un blouson assorti complétaient l'ensemble. Elle me reconnut, hésita un moment puis s'approcha. Je l'embrassai, elle s'assit comme si nous l'attendions depuis toujours, tendit sa joue à ma copine et commanda un porto.

J'appris donc qu'elle avait rompu avec René et qu'elle se préparait à divorcer. Je lui demandai si c'était à la suite de notre rencontre. Elle fit une moue affirmative et déclara que René n'était finalement pas un type pour elle et qu'elle en avait marre de le materner. Ils s'étaient quittés avec fracas après notre soirée. Catherine ajouta qu'il était maintenant amoureux d'une autre fille et qu'il sombrait dans l'alcool. Je tirai sur mon puros et lâchai quelques volutes de fumée en portant à mes lèvres mon verre de fino. René ne l'intéressait plus. Elle me demanda si elle pouvait passer chez moi un de ces soirs pour en discuter.

Je lui répondis que j'avais rencontré un homme et que je ne serais peut-être pas seule. Ma copine enchaîna en racontant que je baisais avec un mec super, un médecin interniste de la République dominicaine en stage au Royal Victoria et que désormais, il était pratiquement impossible de me rejoindre puisque je passais presque tout mon temps libre à lui sucer la queue. Je fusillai ma copine du regard pour sa grossièreté mais, regardant Catherine, je lui avouai qu'en effet, mon temps, mes nuits surtout, étaient comptés.

Catherine sembla déçue, elle ajouta alors que cela ne lui ferait rien de nous rencontrer tous les deux chez moi pour prendre un verre. Elle se sentait seule et avait besoin de compagnie. Je lui dis que j'aviserais et que si elle le désirait, elle pouvait toujours me laisser son numéro de téléphone, ce qu'elle s'empressa de faire. Puis elle se leva et disparut sans payer son porto.

— Tu as eu une aventure avec elle..., me lança ma copine.

Je lui demandai en quoi cela la regardait. Elle ajouta qu'il était évident que Catherine était amoureuse de moi. Même si je trouvai le commentaire flatteur, il me sembla de très mauvais goût. N'étais-je pas une femme à hommes, plutôt nymphomane d'ailleurs, irrémédiablement attirée par le mâle ? L'intermède Catherine, aussi plaisant qu'il eut été, ne représentait rien d'autre pour moi qu'un intermède. Jamais une aventure féminine ne remplacerait chez moi la jouissance qu'offrait la plénitude d'un orgasme déclenché par l'excitation d'un homme, la sensation d'être pleine d'un sexe qui me transportait, d'une force qui me pilonnait... Catherine était jolie, fougueuse et pleine de vie, mais jamais elle ne pourrait rivaliser avec Ricardo.

Maureen me ramena à la réalité. Ricardo était sur le point d'arriver, une fois son service terminé à l'hôpital. Je commandai une deuxième tournée de portos, ce que sembla apprécier Maureen, une rousse délurée et désargentée dont j'avais fait la connaissance un soir de drague chez Di Salvio. Belle, potelée, rousselée comme bon nombre d'Irlandaises, elle avait un air sexy, et j'avais décrété que nous allions bien ensemble, surtout dans un bar à cigares. Maureen insista:

— Aimes-tu les femmes?

— Oui, de temps en temps, pour faire joujou, l'amour au féminin est un agréable passe-temps. Mais la véritable aventure, la vraie baise, ce n'est qu'avec un homme que cela se passe.

Elle approuva en soulignant que pour elle, la baise lui réussissait plus que l'amour et qu'elle n'arrivait pas à avoir une relation stable dans le gentil monde des machos. Mon portable se mit à sonner sur l'air du toréador. C'était Ricardo qui m'annonçait que le médecin du quart de soir à l'urgence n'était pas rentré et que malheureusement il lui serait impossible de passer la soirée avec moi. Je le suppliai de venir me rejoindre à minuit, mais il déclina l'offre, me disant qu'il était crevé et avait grand besoin de sommeil. Pour un type pétant de santé et baraqué comme Ricardo, je trouvai l'excuse un peu mièvre. Ma soirée serait donc longue et ma nuit sans attrait. Maureen, à ma mine déconvenue, comprit tout de suite. Elle eut un mot de trop:

— Comme d'habitude...

— Comment «comme d'habitude»?

Je pris son bras et le secouai, la forçant à me répondre. Elle m'avoua qu'elle connaissait bien Ricardo, qu'elle avait fait l'amour avec lui, que toutes les filles couraient après ses biceps d'enfer et sa queue prodigieuse et que, presque toujours, il larguait la fille après deux ou trois jours, repu et prêt pour une nouvelle conquête. Maureen m'avoua qu'elle travaillait au Royal Victoria comme psychologue et que depuis l'arrivée de Ricardo à l'urgence, avec sa réputation de tombeur connue de tout l'hôpital, son travail de thérapeute était devenu compliqué et sa vie personnelle un peu bouleversée. Selon l'expression de Maureen, Ricardo tirait son coup sur tout ce qui bougeait et avait des nichons... C'était un peu vulgaire à mon goût, mais très à propos. Mes illusions venaient de prendre un sacré coup. Moi qui me considérais comme au-dessus de mes affaires et ayant toujours le contrôle des hommes dans ma vie, voilà que finalement j'en étais presque à pleurer comme une petite fille mon amour déçu. Je croyais être amoureuse de ce Don Juan. Heureusement, le vague à l'âme ne dura qu'un moment et le sourire complice de Maureen me remit les pieds sur terre.

— Je te jure que je vais me payer la tête de Ricardo un jour ou l'autre ! lui dis-je.

Cette dernière me fit remarquer que finalement mon idylle s'était échelonnée sur presque une semaine, un record, et qu'il était peut-être temps de tirer un trait sur ma relation avec Ricardo.

Nous décidâmes d'aller manger gai et sympathique. Maureen ne se sentait pas très en beauté. En pantalon, avec un haut noir et une veste de mohair grise, elle ne ressemblait pas exactement à la vamp de *Vanity Fair*, mais sa crinière de rousse la rendait attirante. Je n'étais pas beaucoup mieux fagotée. J'avais projeté de faire la cuisine pour Ricardo et de me vautrer avec lui dans une nuit de baise et non de me préoccuper de ma tenue pour attirer les regards. Mon éternel tailleur Chanel et mon caraco rouge vin n'allaient pas attirer les foules. Je confiai à Maureen que pour une fois, je ne croyais pas que l'on me suivrait à la trace !

Nous optâmes pour un petit restaurant de la rue Laurier, L'Entre-Deux, renommé pour son foie de veau et ses grandes folles. En effet, le bistrot, fréquenté par une faune homosexuelle mâle, faisait partie du circuit des endroits où il fallait être vu si l'on était branché, dans la pub ou les médias, et surtout homo. Ce restaurant avait fait sa renommée grâce à sa bonne bouffe, son ambiance calme et feutrée mais surtout, parce que c'était l'endroit idéal où deux filles pouvaient faire bombance sans être importunées. On pouvait causer de tout et échanger sur des sujets scabreux ou personnels sans attirer l'attention d'oreilles indiscrètes.

Maureen possédait une voiture, une Toyota qui avait vu de meilleurs jours et qui, à la longue, s'était transformée en bazar comme seules les filles peuvent les imaginer. Les peluches voisinaient avec les fards, les rouges à lèvres et les mascaras dans d'innombrables pochettes griffées Chanel, Estée Lauder ou Guerlain ; les jupes côtoyaient les pulls enlevés à la hâte et les soutiens-gorge délaissés un soir de débauche. Tout cela pêle-mêle, avec des effluves de parfums indéfinissables.

En quelques minutes, nous remontâmes la rue Amherst jusqu'à la rue Laurier, et une place de stationnement accueillit la Toyota dans un soubresaut de moteur. La porte franchie, on nous installa à une petite table éclairée par une bougie un peu pâlotte. Il est toujours étrange pour deux filles d'entrer dans un lieu dit gai. Personne ne fait attention à vous, pas un regard, juste une indifférence totale pour tout ce qui a des seins et des cheveux soignés. À L'Entre-Deux, c'était le règne de la tête tondue, du *look* pédé chic griffé Armani ou Ralph Lauren et des lunettes à monture d'acier. Même les quelques lesbiennes qui fréquentaient l'endroit sacrifiaient à la mode de l'uniforme par lequel on se reconnaissait au premier coup d'œil.

Après avoir commandé le traditionnel foie de veau à l'anglaise, la spécialité de l'endroit, et entamé courageusement une bouteille de Cairanne, nous nous livrâmes à notre passion féminine favorite, les cancans. Je ne connaissais pas grand-chose de Maureen, notre première rencontre remontant à deux semaines à peine, chez Di Salvio, l'endroit même où j'avais fait la connaissance de Ricardo. Par la suite, nous avions bavardé à quelques reprises, le temps d'un café, au Second Cup de la rue Saint-Denis. Notre intimité se bornait à ces brèves rencontres. Ce qui m'étonnait, c'était qu'elle en savait beaucoup plus sur moi que moi sur elle. De toute évidence, à Montréal, on établissait les réputations plus vite que les rencontres et les présentations. Ainsi, Maureen me raconta que j'étais connue chez Di Salvio comme la salope qui laissait tomber les mecs plus rapidement que son ombre. En ce qui me concernait, c'était flatteur. Ce qui l'était moins, c'était que je passais aussi pour une dévoreuse de maris dangereusement cannibale et que les hommes qui avaient goûté à ma médecine perdaient toute envie de rentrer au bercail. Là, j'avouai que je me sentais un peu coupable. Je demandai à Maureen si vraiment j'étais responsable d'avoir baisé un homme à un point tel qu'il perdait tout goût pour l'épouse au foyer, et cela, même après lui avoir fait comprendre qu'une baise est bonne surtout si elle ne se renouvelle pas trop souvent...

Maureen me percevait comme la femme à travers laquelle les hommes réalisaient qu'ils étaient des mal-baisés et que la routine de leur mariage avait annihilé tous les fantasmes pouvant les motiver. Maureen mit tout cela sur le compte de l'indifférence et de l'habitude. En bonne psychologue, elle s'étonna des récriminations de ses clientes à l'égard des hommes lors de ses consultations. Elle m'avoua qu'à toutes, elle suggérait d'être un peu garces et putes et que certaines clientes trouvaient la recommandation indigne d'une psychologue, au point de refuser de payer la consultation.

À la faveur d'une deuxième bouteille, les confidences que nous échangeâmes se firent plus précises et plus intimes. Maureen considérait sa vie sentimentale comme un véritable fiasco. Elle aurait souhaité être aimée des hommes qu'elle fréquentait. Chaque fois, l'aventure tournait au vinaigre, les hommes la considérant comme trop collante, trop accaparante. Elle avait eu des amours féminines et là aussi, elle avait été blessée. L'une d'entre elles, une dominatrice, lui avait fait la vie dure. Je réalisai que Maureen avait besoin d'être bercée, cajolée comme une petite fille qu'elle était encore tout au fond d'elle-même. Je lui pris la main et l'embrassai. Une grosse larme coula sur sa joue. Je n'avais pas envie de l'emmener chez moi, même si je sentais une détresse profonde qui appelait au secours. Je lui demandai alors :

— Es-tu libre le week-end prochain ? Si tu en as envie, nous pourrions le passer ensemble.

Elle eut un regard de chien battu et me dit :

— Oui, cela me ferait plaisir.

Nous convînmes de nous appeler le vendredi suivant, vers midi, et je lui laissai mon numéro de portable. Le café était froid, nous quittâmes le restaurant bras dessus, bras dessous et Maureen me déposa chez moi. J'avais une furieuse envie de me coucher, de sortir mon godemiché et de me masturber devant un bon film de baise pour oublier Ricardo, les papotages et Maureen. Lorsque mon ami favori se retrouva entre mes fesses, caressant ma vulve et chatouillant mon clitoris, qu'il titilla ma fleur de rose qui ne demandait que ça, je me surpris à fantasmer sur Maureen, ses lèvres rouge sang et sa tignasse rousse. Je me demandais en me caressant si son pubis avait la même couleur que son incroyable tignasse et si ses yeux verts me feraient chavirer... Ils me firent chavirer, l'orgasme monta, les yeux de Maureen me fixèrent. Ce fut comme une fusée en partance, un incroyable soubresaut de mes reins, je mouillais, je vivais, je m'aimais. Maureen et Ricardo n'existaient plus...

Un vendredi à Antibes

En m'éveillant le lendemain matin, je m'étirai dans mon lit au milieu des oreillers et des coussins moelleux, je m'amusai d'un rayon de soleil qui chatouillait mon nombril. Et voilà que les souvenirs m'assaillirent...

Je revis Antibes, le Cap, le phare de la Garoupe et moi qui me prélassais en bikini sur la plage, mes lunettes noires, énormes, me permettant de regarder sans être aperçue et de me gausser intérieurement du spectacle toujours croustillant d'une plage de la Côte d'Azur au mois de juillet. Les économistes se gargarisaient de «village global» et de marchés plus ou moins communs, pensais-je. S'ils avaient été, comme moi, étendus sur une plage à l'heure du déjeuner, ils auraient constaté l'invraisemblable grégarisme des individus: les Allemands avec les Allemands, les Suédois blonds avec d'autres Suédois blonds et les Anglais roses et rouges avec d'identiques Anglais rouges et roses. On ne se mêlait pas, même en vacances, on se côtoyait. Sauf la starlette hollandaise au corps sculpté de gymnaste draguée effrontément par le banquier libanais couvert de chaînes d'or et à la Rolex plus grosse que nature; sauf aussi la petite Parisienne bien foutue mais dont le hâle laissait encore à désirer, qui passait et repassait devant une table d'hommes d'affaires en tenue sport qui ne semblaient même pas la remarquer, ou encore la blonde américaine folle de son Gino italien, un probable marchand de glaces sur le quai d'Antibes.

Le reste de la foule étendue au soleil n'était qu'un amoncellement de corps huileux, de fausses lunettes de soleil Dior et de gosses qui piaillaient et criaient en barbotant au bord de l'eau. La France du mois de juillet, quoi! Les femmes avec les enfants sur les plages, tandis que les hommes draguaient sur les terrasses parisiennes et les ouvriers attendaient le mois d'août en travaillant le moins possible.

Si j'étais à la plage, allongée sur mon matelas, en ce vendredi de juillet, c'était en prévision du vernissage de l'exposition des plus récentes œuvres de Carzou auquel j'étais conviée le soir même, à Saint-Paul-de-Vence. Ce petit village du Cap d'Antibes représentait pour moi de merveilleux souvenirs d'enfance; une vieille tante, baronne d'un pays aux frontières indéfinissables disparu dans la tourmente de la Grande Guerre, y avait possédé une maison charmante cachée dans les tamaris et les mimosas. Elle y avait reçu toute la famille au cours de l'été. Ma chère tante n'était plus de ce monde, comme la maison du reste, démolie au profit d'un promoteur immobilier et remplacée par un hôtel quatre étoiles qui m'hébergeait pour le week-end.

Ce soir-là donc, j'allais faire la mondaine à Saint-Paul-de-Vence, lors d'une soirée qui s'annonçait fort agréable. J'aimais la peinture de Carzou, je trouvais sa technique étourdissante. Je me rappelais l'avoir vu peindre sur le port de Saint-Tropez à six heures du matin, au moment où la lumière du soleil naissant éclairait les façades du port d'une lumière douce et unique. Carzou peignait à l'encre de Chine et à la tempera. Le résultat était féerique, tout comme le dessin précis de la plume et la douceur des couleurs du pinceau. Et puis il y avait Saint-Paul, sa place, la Colombe d'or où nous irions dîner et le charme des ruelles qui menaient à la galerie...

Tout en rêvant à cette soirée, je faisais le vide en moi-même afin d'être plus réceptive à l'aventure. J'emmagasinais du soleil sur toute ma peau ; mon minuscule bikini réduirait au minimum les centimètres de peau non bronzée et mes seins nus seraient à point pour mettre en valeur le décolleté de la robe que j'avais choisie avec soin pour l'événement.

Saint-Paul-de-Vence

La petite Clio que j'avais louée à l'aéroport grimpait allègrement la route qui serpentait à travers les jardins jusqu'à Saint-Paul. Je roulais à flanc de coteau ; sur la colline à droite, le village de Saint-Paul accrochait les derniers rayons du soleil couchant. La petite séance de bronzage m'avait embellie, ma peau était mordorée, satinée par le soleil et la poudre de corps lumineuse de Guerlain. J'avais choisi une robe à la limite de la décence. Laissant une épaule nue, le drapé en diagonale était retenu à la hanche, dégageant une cuisse haute et bronzée. La diagonale finissait en bas du genou, l'autre hanche discrètement cachée par le tissu qui remontait jusqu'au haut de la cuisse. Un tour de perles au cou, j'étais habillée. Seul un string blanc apparaissait dans la transparence de ma robe, recouvrant pudiquement le peu qu'il me restait à cacher. Des sandalettes rouges et un minuscule sac assorti complétaient mon attirail.

À l'entrée d'un stationnement réservé sur la place, un gardien me demanda mon carton d'invitation. Je stationnai la Clio entre une Mercedes et une Rolls et me dirigeai vers la porte ouvrant sur la cité médiévale. Les pavés ronds rendaient ma progression difficile, et toute mon attention était portée sur le revêtement de la rue afin d'éviter une entorse malencontreuse. Soudain, je sentis une main secourable prendre mon bras. C'était une main d'homme, je regardai son propriétaire et découvris une sorte de James Bond bronzé, le sourire carnassier, la chemise blanche impeccable ouverte sur un cou puissant, des cheveux blonds gominés et ondulés. Sa main était ferme mais douce ; je volai littéralement de pavé en pavé comme portée par une force surnaturelle. C'était *Star Trek* revisité par James Bond. La voix m'assura qu'à cette heure-là nous allions certainement au même endroit, et comme sur un nuage, j'atterris sur le seuil de la Galerie de l'Ange. C'était bien là ! Deux affiches de Carzou étaient apposées au battant des portes-fenêtres ; des gens distingués, femmes superbes, hommes racés, se promenaient, un verre de rosé de Provence à la main. Le sourire carnassier me souhaita une bonne soirée et m'assura que nous nous reverrions plus tard. Je fis quelques pas à l'intérieur de la galerie, le Maître était là, assis à un petit bureau, dédicaçant ses affiches à des admirateurs. Une très jeune fille brune, aux yeux immenses et à la peau diaphane, collait des pastilles rouges sur les tableaux vendus ou retenus. Carzou m'aperçut tout à coup, il lâcha son crayon :

— Christine, tu es venue ! Tu ne peux pas savoir comme ça me fait plaisir de te voir.

Il me serra dans ses bras.

— Mais tu es toute nue, me fit-il en m'embrassant, tu es superbe.

Viens, je vais te faire voir mes nouveaux tableaux.

Ma complicité avec Carzou datait d'un été passé à Saint-Tropez. Lui peignait, moi je m'amusais, allant de sauteries en surprises-parties. Je l'avais rencontré un matin vers cinq heures, à la fermeture des discothèques, le long du port. Je sortais du Papagayo, lui préparait ses tubes de couleurs et ses encres de Chine. L'aube était violette, le rose des maisons longeant le port presque irréel, le ciel encore hésitant entre le violet et le rouge brique, les arbres encore teintés d'un vert presque noir. Carzou attendait l'aube, le soleil qui allait pointer dans les montagnes des Maures, juste en face, au-dessus de Sainte-Maxime. Il avait installé son chevalet sur la margelle du port, attaché un pied à un gros anneau de fer et ouvert sa chaise pliante pour se mettre à peindre. Nous nous étions regardés, moi un peu blafarde et échevelée d'avoir trop dansé, lui les yeux bleus très clairs, le cheveu rare, le vieux pantalon de fusain en bas de la taille et une invraisemblable chemise à carreaux dix fois trop grande pour lui. Il m'avait proposé un café dont j'avais grand besoin, il avait pris son thermos et avait versé dans une petite tasse d'aluminium un café noir, fort et fumant, de la vraie dynamite.

Il m'avait demandé si j'aimais la peinture, j'avais répondu :

— Oui, beaucoup.

Il s'était assis et s'était mis à griffonner à l'encre de Chine sur une feuille de papier d'Arches pincée sur une planche de contreplaqué. Lentement, les détails des maisons du port avaient surgi de la plume, les mâts des bateaux, les agrès et, au-dessus de tous ces toits, le clocher de l'église. Je regardais, fascinée. Puis, une fois les traits d'encre terminés, le dessin en place, il avait ouvert sa boîte de couleurs. Avec un peu d'eau contenue dans une vieille bouteille de limonade, il s'était mis à diluer et à mélanger ses couleurs. Comme par magie, tout le port s'était animé soudain dans un flamboiement de couleurs inspirées. Et puis Carzou s'était arrêté et avait marmonné que c'était bien comme ça, laissant sécher les couleurs et s'asseyant, le regard satisfait, sa tasse de café à la main. Je n'avais pas vu le temps passer. Le Papagayo était fermé depuis longtemps, les derniers fêtards rentrés chez eux, et les premiers pêcheurs, à l'autre bout du port, lançaient leurs moteurs pétaradants pour prendre le large. Je frissonnais, et ramenant mon châle sur mes épaules, je remerciai le peintre en lui disant que j'avais passé un très bon moment.

— Venez dîner ce soir à la maison, m'avait-il dit, vous pourrez voir mes derniers dessins et quelques toiles.

Il avait pris un bout de papier et d'une écriture illisible avait laissé son adresse.

— À dix-neuf heures précises, avait-il ajouté, si vous voulez encore voir quelque chose, la nuit tombe vite.

Je lui avais tendu la main, qu'il avait baisée, très mondain, puis je m'étais enfuie par les ruelles vers le petit appartement sous les toits qui me servait de refuge, me promettant de ne pas oublier l'invitation. Je n'avais jamais oublié ni l'invitation ni la nuit qui s'en était suivie...

À la galerie, Carzou me présenta à plusieurs invités. Je n'arriverais pas à retenir tous les noms, même de ceux qui plus tard se rassembleraient à la Colombe d'or pour le dîner. Je lui demandai, intriguée, qui était le Carnassier, en le montrant du doigt.

— Ah, celui-là! fit Carzou avec une moue réprobatrice. Ton Carnassier, comme tu l'appelles, est un célèbre chanteur de charme. Attention Christine, c'est un tombeur de midinettes...

— Mais je ne suis pas une midinette...

— C'est vrai, dit Carzou, tu as trop de classe pour un type pareil. De plus, il n'a pas de goût, il a acheté hier à Saint-Paul la plus affreuse toile de Mathieu que je connaisse. Et Robert, le galeriste, m'a dit qu'il cherchait une œuvre du XVIIe pour suspendre aussi dans sa salle à manger. Je sais qu'il est beau, mais tu me ferais de la peine si tu le ramassais...

Le Carnassier me regardait tout en parlant à une superbe créature un peu vulgaire. Je détournai les yeux et m'approchai de la jeune fille aux étiquettes rouges. Elle portait un fin corsage de ballerine laissant pointer deux jolis petits seins sous le jersey de coton léger, une grande jupe presque transparente cachant à peine de longues jambes de biche et une petite culotte blanche. Elle s'appelait Marguerite et travaillait à temps partiel à la Galerie de l'Ange afin de passer l'été à Saint-Paul. Elle me raconta qu'elle avait entendu parler de moi et que, selon Carzou, j'étais une redoutable fille qui dévorait les hommes. Je rajoutai :

— Et peut-être les jeunes filles aussi.

Elle rougit et se déroba. Après avoir fait le tour des nouvelles œuvres de mon peintre favori et m'être attardée une seconde fois devant la tétralogie de Léda qui serait mienne dans les jours à venir, je commençais à m'ennuyer ferme, la plupart des invités n'ayant rien d'autre à se dire que des banalités. Certains essayaient de se rappeler où ils s'étaient rencontrés la première fois ou quand ils s'étaient vus la dernière fois, les autres faisaient le tour de leur carnet mondain respectif.

Le Carnassier poussait dans ses derniers retranchements la blonde vulgaire qui semblait constituer sa proie pour la soirée. Tout à coup surgit de la terrasse un couple qui tranchait sur la médiocrité ambiante. Lui, bel homme dans la cinquantaine avancée, blazer armorié et pantalon blanc, un teint de marin ayant passé le cap Horn, elle, petite, tout en rondeurs, habillée comme une lady, avec un chapeau étourdissant comme seules les Anglaises peuvent en porter sans paraître ridicules, un teint de pêche et des cheveux auburn. Ce couple respirait la distinction, il était la distinction même. Je m'approchai et me présentai :

— Christine de...

Il me baisa la main et se pencha très bas, je fis une discrète révérence à celle qui ne pouvait être qu'une lady et lui tendis la main. La sienne était gantée d'une dentelle fine mettant en valeur un magnifique bracelet victorien en or. Carzou s'approcha de nous :

— Oh Christine, voici le comte d'Harrington et son épouse, la comtesse...

— Mon cher Carzou, dis-je, nous venons de faire connaissance...

Le peintre parut satisfait et ajouta :

— Christine, tu seras assise à côté de monsieur le comte au dîner, et il disparut dans le flot des invités.

J'appris que Harrington et sa femme naviguaient à bord de leur yacht ancré au port de Cannes. Ils comptaient se rendre jusqu'à Portofino avant la fin de l'été en passant par la Corse et la Sardaigne. La comtesse était une grande admiratrice de Carzou, elle me raconta avoir acheté plusieurs de ses toiles lors de leur séjour à Sainte-Maxime quelques années auparavant. Je constatai que le comte me détaillait avec insistance pendant mes échanges avec son épouse et j'en fus flattée. Un peu penchée, j'analysai discrètement la comtesse de la tête aux pieds ; petite, presque rondelette, elle avait une peau très fine et son visage aux traits réguliers était recouvert d'un duvet blond à peine perceptible. Elle s'exprimait dans un français élégant avec une pointe inimitable d'accent britannique distingué. Elle me prit par le bras et se dirigea lentement vers la terrasse qui s'ouvrait sur un jardin orné de magnifiques bronzes, dont un Rodin d'une facture stupéfiante de réalisme.

— Appelez-moi Maud, fit-elle, et lui, en faisant un geste discret de la main pour montrer son mari qui nous suivait, c'est Edward. *Dear* Edward, allez nous chercher du champagne, je meurs de soif...

Le comte disparut. Maud m'invita à la rejoindre sur un banc ; elle avait des mains envahissantes.

— Laissez-moi vous toucher, vous êtes si belle...

Elle me palpait en veillant à ce que l'on ne remarque pas ses gestes et m'examinait sous tous les angles.

— Vous savez, Christine, je fais aussi de la peinture. Si un jour vous avez le temps, je serais heureuse de vous avoir comme modèle.

Edward arriva avec deux coupes de champagne. Maud le renvoya afin qu'il rapporte une coupe pour lui-même car il fallait, disait-elle, absolument fêter à trois cette rencontre. Nous nous levâmes pour porter un toast à Maud, un à Carzou, puis, galamment, Edward proposa un toast en mon honneur. Quelques invités nous regardèrent, intrigués, comme si nous faisions bande à part. Le comte me serrait par la taille d'une façon qui dépassait la simple décence.

La galerie commençait à se vider et les invités au dîner prirent la direction de la place de la Mairie. La jeune fille diaphane mit à jour les cartons de réservation et de vente. Elle sourit, le vernissage avait été un franc succès. Elle me regarda de ses grands yeux pâles et rougit. Je lui demandai en passant si elle nous rejoindrait pour le dîner.

— Si le Maître le désire...

Je l'assurai que oui, en lançant à Carzou :

— J'emmène Marguerite.

Il me fit un signe affirmatif de la tête tout en poursuivant sa discussion avec la blonde et le Carnassier.

Nous sortîmes tous les quatre. Le comte prit Maud d'un bras et moi de l'autre, je serrai la main de Marguerite qui suivait un peu en retrait. La jeune fille faisait la moue et ne semblait pas apprécier mon initiative. J'appris que son ami l'attendait à la fermeture et qu'elle aurait préféré le rejoindre plutôt que de suivre les invités à la Colombe d'or. Je finis par la convaincre que son avenir dans le monde de l'art était peut-être plus prometteur que le rendez-vous avec un jeunot et une balade sur le porte-bagages d'une mobylette. Elle me lança son premier sourire et je sus que je l'avais conquise. Nous franchîmes la porte nord du village et nous nous retrouvâmes sur la place. Les joueurs de pétanque, trop accaparés par leur partie, ne prêtaient aucune attention aux passants qui se dirigeaient vers le célèbre restaurant.

Une hôtesse accueillait les invités et les conduisait tour à tour vers une longue table dressée pour l'occasion dans le magnifique jardin.

Les colombes étaient là, roucoulant, familières et romantiques. J'aperçus soudain l'épouse de Carzou que je n'avais pas remarquée dans la cohue du vernissage. Elle était drapée à la balinaise d'un magnifique sari de soie, les épaules nues et le torse serré dans le tissu soyeux dessinant à peine la courbure des seins. J'avais connu Véra lors du premier dîner auquel m'avait conviée Carzou, à Saint-Tropez, mais c'était là un autre souvenir.

Je l'embrassai. Elle, surprise et ravie de me voir, prolongea le baiser en nouant ses bras autour de mon cou afin que nos corps s'étreignent mieux. Véra se dit heureuse de me revoir et désireuse de continuer nos bavardages loin des invités qui maintenant se pressaient autour de la table ; elle m'invita à les visiter à Saint-Tropez. Je me demandai comment je réussirais à répondre à toutes ces invitations. Devrais-je prolonger mon séjour ? La soirée était encore jeune et je décidai de me laisser aller, sans trop penser au lendemain.

Je me retrouvai assise comme prévu au côté de sir Edward qui, gentiment, s'appuya au dossier de son fauteuil afin de faciliter ma conversation avec Maud. Tout juste en biais de notre petit groupe, je reconnus le Carnassier et la blonde qui avait déjà laissé échapper une bretelle de sa robe, laissant apparaître la lisière d'un sein littéralement dévoré des yeux par le beau Brummel. Devant nous, Marguerite, rougissante, les yeux baissés, répondait poliment à un invité sans saveur. Elle finit par m'interpeller du regard, ses grands yeux pâles scrutant les miens. J'y lus une supplique, comme si la jeune fille appelait au secours. Je cherchai discrètement son pied sous la table, je collai ma jambe contre la sienne comme pour lui faire comprendre que je compatissais à son trouble de jeune fille captive au milieu d'une tablée bien étrangère, elle si peu tournée vers les réceptions mondaines. Elle me sourit, comprenant mon message, et rassérénée, elle poursuivit sa conversation.

Pendant mes manœuvres sous la table, Edward poussa ses avantages. Il prit délicatement la main de sa femme qui avait retiré ses gants et lui fit saisir un verre de champagne. Il profita de son mouvement pour poser sa main gauche sur ma cuisse nue, en me tapotant gentiment afin que je prenne mon verre.

— À la santé de Véra notre hôtesse, fit-il, lui rendant un immense sourire, ce qui ne l'empêcha pas de laisser sa longue main sur ma cuisse en prenant même un léger avantage territorial.

Maud regarda, amusée, la main d'Edward, sourit et lança:

— Vous voilà bien coquin, Edward...

Le comte, tout en laissant sa main sur ma cuisse, dit à sa femme avec humour que la chaleur de ma peau aidait ses rhumatismes naissants. Maud gloussa et je fus prise d'un fou rire. Sir Edward m'avait entreprise, au grand plaisir de sa femme. Je trouvais le jeu divertissant et je décidai de laisser s'exciter le cher homme. En me penchant pour parler à Maud, je permis à cette dernière d'avoir une vue panoramique sur ma poitrine ferme et invitante tandis que la main d'Edward, emportée par le mouvement, venait buter sur mon string.

La soirée s'annonçait brûlante et nous n'en étions qu'au *prosciutto* melon. Maud se pencha vers moi:

— Christine, fit-elle, je meurs de chaud, croyez-vous que je puisse dégrafer un peu mon corsage?

Puis elle me demanda de l'aider, car elle n'avait pas ses lunettes et les agrafes de sa robe étaient minuscules. Pieux mensonge, car je l'avais vue au début du repas sortir ses lunettes de son sac pour lire le menu et puis, des lunettes étaient-elles indispensables pour défaire des agrafes? Mais je décidai de jouer le jeu. Je me penchai par-dessus les jambes de sir Edward et j'entrepris de dégrafer la robe chemisier de Maud. Comme je l'avais pressenti, elle ne portait rien sous sa robe, laissant libres ses deux jolis seins encore fermes et gracieux. Me retirant doucement, je sentis le membre dur de sir Edward tendre son pantalon blanc. Le coquin avait une virilité du plus bel effet.

Les garçons apportaient le second plat. Le rosé aidant, la tablée était maintenant de fort bonne humeur. Les joues de Marguerite se teintaient de rose et elle semblait perdre sa gêne de jeune fille. Je pensai que, heureusement pour elle, le Carnassier était trop occupé à disséquer sa voisine aux cheveux blonds dont maintenant la dernière bretelle de robe risquait à tout moment de déclencher le dévoilement irrémédiable de sa poitrine.

Au dessert, Edward reprit l'initiative de m'investir. Sous le prétexte de ramasser sa serviette tombée par terre, sa main remonta le long de mes cuisses et força la fragile et infime barrière de mon string. Il me regarda d'un air étonné quand il découvrit ma chatte imberbe sous ses doigts habiles. Il se pencha vers Maud et lui glissa un mot à l'oreille. Maud devint tout émoustillée.

— Il faudra me montrer ça, petite coquine, fit-elle dans un souffle un peu trop court. N'est-ce pas Edward ? Christine viendra dîner demain soir sur le bateau, *is it all right dear* ?

Edward opina de la tête :

— Je vous envoie le chauffeur à dix-huit heures, où êtes-vous descendue ?

J'expliquai à mes nouveaux amis anglais que j'avais une voiture et que je connaissais bien la route jusqu'à Cannes.

— Le bateau est à la marina du Palm Beach, trop gros pour mouiller à quai, mais un marin viendra vous chercher avec l'annexe.

Je réalisai que je n'avais pas grand-chose à dire puisque Edward et Maud avaient décidé de ma prochaine soirée. Mais au fond, j'étais plutôt d'accord. J'étais déjà excitée par les doigts de sir Edward qui me faisaient mouiller et de plus en plus, je sentais qu'il me faudrait deux ou trois orgasmes pour me calmer.

Edward se leva et se dirigea vers l'intérieur du restaurant. Maud en profita pour changer de chaise et se rapprocher, puis sa main prit la mienne :

— Christine, dit-elle, pourquoi ne pas rentrer avec nous ? J'ai tellement envie de vous et Edward aussi, vous avez vu comme il était dur quand il s'est levé ?

Maud était suppliante, serrant ma main de toutes ses forces, comme pour m'obliger à acquiescer.

— Maud, dis-je, attendons encore un peu, nous n'en sommes qu'au dessert, peut-être qu'après le café...

Pour calmer les ardeurs de Maud sans toutefois l'offusquer, sous le prétexte de me dégourdir les jambes, je décidai d'aller faire un tour. Je m'arrêtai à la table de Véra et de Carzou. Ils me prirent chacun par le cou et me firent jurer de passer le prochain week-end à Saint-Tropez. Je les aimais bien tous les deux et ne pouvais leur refuser ce plaisir, mais je fis promettre à Carzou de me réserver la tétralogie de Léda.

— C'est vrai, tu l'aimes tant que ça?

Je lui dis que je l'achetais et que je souhaitais voir les quatre tableaux demeurer un tout, même si mon compte en banque devait en prendre un sacré coup. Le peintre fut ému aux larmes, Véra aussi. Il appela Marguerite qui arriva, intriguée.

— Marguerite, Christine prend la tétralogie de Léda, tu la lui réserves.

Marguerite s'objecta, car un invité avait confirmé l'achat du dernier tableau où le cygne se change en amant pour prendre Léda.

— Qui l'a acheté? demanda Carzou.

— Le monsieur blond, dit doucement Marguerite.

— Ah non, pas lui, va lui dire qu'il n'est pas à vendre!

Véra suggéra d'aller elle-même arranger les choses avec l'acheteur. Je pris la main de Marguerite et lui dis:

— Si nous allions faire un tour dans le jardin?

Elle me suivit sans dire un mot. À l'écart, derrière un chèvrefeuille, je m'appuyai le dos contre un vieux mur recouvert de lierre. J'attirai Marguerite à moi. Elle vint, sans résistance, se placer entre mes jambes, droite, ses yeux pâles me fixant. Je lui pris les épaules, son corps bascula vers le mien, ses petits seins durs s'appuyèrent contre ma poitrine. Lentement, résolue, j'approchai mes lèvres des siennes en fermant les yeux. Nos lèvres se touchèrent, ma langue se fraya un passage, heurta les dents, puis remplit l'espace nouveau, ouvert, libre. Nous nous enlaçâmes, le pubis dur de Marguerite appuyé contre le mien, ses bras noués derrière ma nuque comme si nous étions soudées ensemble à jamais. Elle eut un soubresaut, comme si un orgasme l'avait secouée, puis, brusquement, elle s'enfuit en courant.

Je remis un peu d'ordre dans ma tenue. Mon string était mouillé, je décidai d'aller l'enlever à la salle des dames joliment baptisée *powder room*. Au point où j'en étais, mon string ne servait plus à grand-chose. À peine ressortie, je tombai sur Maud qui me cherchait partout. Elle me prit par la main et me ramena à la table où sir Edward me tendit une tasse de café. J'en avais bien besoin. Maud insista pour que je les accompagne sur le bateau, le chauffeur se chargeant de conduire ma petite Clio. Je m'objectai un peu, pour la forme, mais Maud ne voulait rien entendre, elle était déterminée et il était hors de question que je retourne seule à mon hôtel d'Antibes. Le sort en était jeté.

Une nuit sur le Lady Maud

Sir Edward avait pris le volant de la Bentley. Enfouies dans le siège arrière de velours gris, mes bras autour des épaules de Maud, nous nous laissions bercer par les virages de la route.

À Cagnes, nous prîmes la Nationale 7 jusqu'à l'entrée de Cannes. Quelques minutes plus tard, la voiture s'arrêtait à la barrière de la marina du Palm Beach, au bout de la Croisette. Sir Edward stoppa la voiture et le chauffeur qui suivait abandonna la Clio pour nous ouvrir la portière. Le marin de la capitainerie nous conduisit jusqu'à l'annexe où nous embarquâmes. Le petit bateau glissa sur l'eau calme jusqu'à un splendide voilier bercé par la houle tranquille du port. Un matelot nous tendit la main et nous nous retrouvâmes sur le pont.

— Bienvenue à bord, lança Edward. Bill, avez-vous du champagne au frais ?

Le matelot ouvrit les portes à battant qui permettaient l'accès au carré. Le mobilier, deux canapés de velours bleu foncé placés l'un en face de l'autre, quelques meubles de cabine dont une table d'acajou et quatre chaises, constituait l'essentiel du carré, avec quelques marines et de magnifiques lampes en laiton.

Nous nous installâmes, Maud et moi, sur un des canapés, Edward prit ses aises sur l'autre, laissant tomber ses souliers vernis. Le matelot apporta le champagne et les coupes ainsi qu'un plat de petits-fours salés. Après avoir servi le champagne qu'Edward goûta en connaisseur, le marin attendit ses ordres. Sir Edward le libéra pour la nuit et il disparut sans bruit dans ses quartiers. Les rideaux du carré étaient tirés, les portes refermées, nous pouvions désormais prendre nos aises. Edward s'occupa de la musique tandis que Maud s'atta-quait à mon unique bretelle, ayant décidé que ma robe devait se transformer en chiffon. Je décidai de l'enlever, étant de toute façon absolument nue sous le fin tissu. Maud déboutonna lentement son chemisier, libérant deux globes admirables d'une douceur laiteuse. Elle avait, comme toutes les rousses, une peau fine et des taches de rousseur qui la rendaient extrêmement désirable.

— Christine, vous voyez, quand je prends du soleil, je rougis ou je deviens rousselée de taches. Ce n'est pas très élégant pour une lady.

Je l'assurai au contraire que la couleur de sa peau lui donnait du piquant et je la caressai. Sous l'effet de mes caresses, les pointes de ses seins durcirent et elle poussa un gémissement :

— Oh oui, encore...

Edward regardait le spectacle, amusé et excité. Son membre se des-sinait le long de sa cuisse sous le pantalon immaculé. Il avait enlevé son blazer mais conservé sa chemise de lin blanc dont il avait roulé les manches, laissant apparaître des bras basanés aux poils blonds chauffés par le soleil. Maud se leva et s'approcha d'Edward, abandonnant sa robe chemisier par terre; elle avait un pubis presque glabre où seul un petit triangle de poils fauves indiquait le début de sa fente. Je remarquai que les poils étaient déjà mouillés, presque collés à la peau. Arrivée près de son mari, elle décida de me montrer sa virilité; elle s'agenouilla, déboutonna la chemise de lin, libérant le torse bronzé et encore musclé, puis elle s'attaqua à la ceinture, défit la boucle et libéra la fermeture éclair. Elle prit alors dans ses petites mains l'engin assez formidable de sir Edward et se mit à le sucer. Je vis les mouvements de ses joues enserrant le membre roide, elle le déplaçait dans sa bouche, les joues gonflées à tour de rôle. Maud s'appliquait, concentrée sur le pénis qu'elle faisait aller et venir entre ses lèvres comme pour me le préparer.

La scène était particulièrement excitante et je ne pus m'empêcher de mettre ma main dans mon antre et de me masturber lentement.

Ne tenant plus en place devant le spectacle offert, je me levai et m'approchai à mon tour du canapé en me plaçant derrière Edward qui était maintenant étendu de tout son long. Il replia le bras et sa main rencontra mon entrejambe. Un doigt commença à me titiller, se promenant autour de mon clitoris, puis un deuxième rejoignit le premier afin de compléter le travail d'approche. Edward me prit la main afin que je fasse le tour du canapé. Maud, toujours agenouillée, suçait allègrement le membre roide de son mari. Puis elle plaça ses jambes de chaque côté de celles d'Edward. Je décidai de lui retirer son pantalon en tirant sur les jambes, il leva les fesses juste assez pour laisser passer la toile.

Edward changea de position, mit une jambe sur le canapé, l'autre écartée, permettant à Maud de revenir le lécher et de le prendre dans sa bouche. Les jolis seins de Maud se balançaient au rythme de ses caresses, les pointes dressées et dures. J'enjambai Edward, plaçant mes jambes de chaque côté de son torse et offrant à ses lèvres ma chatte épilée. Le désir gonflait mes grandes lèvres qui frémissaient sous son coup de langue. Je me collai à sa bouche, mes mains à l'assaut de sa tête aux cheveux blonds et rares. Je fus saisie d'un orgasme incontrôlable lorsque Edward posa sa langue à l'entrée de mon vagin et força mon intérieur, déclenchant une vague de chaleur brûlante dans tout mon bas-ventre...

Maud, toujours appliquée, s'arrêta tout à coup. Je sentis ses petites mains me prendre par la taille dans un mouvement descendant. Je compris aussitôt où elle voulait en venir; je pliai doucement les jambes, jusqu'à ce que mon sexe rencontrât le membre dur de sir Edward. Maud l'avait bien en main, elle caressait mes lèvres et mon vagin avec la tête du pénis, lançant des sensations encore plus précises dans tout mon corps. Puis elle plaça le pénis de son mari devant mes lèvres prêtes à l'avaler et je n'eus plus qu'à plier un peu mes jambes pour sentir l'engin d'Edward me pénétrer jusqu'au fond de mon ventre. Je ne bougeai plus; la chaleur du sexe fit en sorte que tout mon ventre se contracta de lui-même autour du prodigieux pieu qui s'enfonçait en moi.

Maud se releva et vint s'asseoir sur l'accoudoir du canapé, les jambes ouvertes, les yeux brillants. Je me penchai pour prendre un de ses seins dans ma bouche et en sucer le bout pendant qu'une de mes mains allait se perdre dans son sexe. Elle écarta ses jambes davantage encore pour me permettre de la prendre, mon pouce au fond de son sexe et mon annulaire caressant sa rosette humide. Elle mouilla ma main, l'inondant de sa jouissance, puis, au moment où mon corps commençait son va-et-vient sur le membre rigide d'Edward, elle fut secouée par un orgasme qui lui arracha des cris rauques et sensuels, ce qui fit gicler son mari qui m'inonda dans une jouissance qui me sembla sans fin.

Un peu calmés, après quelques rafraîchissements, nous descendîmes à la chambre à coucher des maîtres, à l'arrière du bateau, et là, dans un lit immense, nous reprîmes nos ébats pour finalement, tous les trois emmêlés et rassasiés, tomber dans un profond sommeil.

Maureen et un week-end à la campagne

Ce jour-là, je me faisais mon petit cinéma, langoureusement étendue sous les draps, en repensant à certaines vacances sur la Côte et aux heures passées à m'étourdir de fantasmes et d'érotisme. Après un petit déjeuner copieux, je réalisai que nous étions vendredi. Nous avions planifié, Maureen et moi, de passer le week-end ensemble. Elle téléphona, comme nous l'avions convenu, vers midi. Elle avait réservé dans un *bed & breakfast* des Cantons-de-l'Est et viendrait me prendre avec sa vieille Toyota vers seize heures. Elle me demanda si j'avais un vélo. Malheureusement, je n'étais ni assez sportive ni assez téméraire pour me promener à vélo dans Montréal et encore moins sur les routes montagneuses des Cantons-de-l'Est.

Nous irions donc nous promener à pied dans les sentiers du parc du mont Orford. N'étant pas particulièrement friande de la promiscuité des *bed & breakfast*, je lui proposai plutôt de nous arrêter dans une auberge où nous pourrions jouir du confort d'une salle de bain privée. Maureen m'assura que l'endroit choisi était tout confort et que je n'avais pas à m'inquiéter. Je sortis un sac de voyage, empilai quelques vêtements sport, des souliers de marche, un mini maillot de bain et des sandales, en plus de l'indispensable sac à cosmétiques sans lequel une femme comme moi ne peut survivre. Je ramassai mes lunettes de soleil sur le bureau et pris aussi quelques magazines pour passer le temps si d'aventure Maureen n'arrivait pas à me distraire. Puis, après une bonne douche, j'enfilai une petite robe soleil et un string de dentelle blanche. J'étais prête et attendais le coup de sonnette de Maureen en sirotant un Coke diète. Je me demandais comment allait se passer notre week-end. Je partais avec une femme que je connaissais à peine, moi qui choisis toujours avec soin le mâle qui m'accompagne pour tout un week-end. En repensant au métier de Maureen, je me demandais quelle sorte de gens elle pouvait rencontrer dans le cadre de son travail. Elle s'habillait mal, un peu dans le genre bcbg fonctionnaire, pourtant elle aurait pu être attirante et même sexy, mais ce n'était pas son genre. Elle se contentait d'être elle-même, avec un beau corps, de magnifiques yeux verts, et une façon sympa de se comporter avec les gens.

Peu avant seize heures, Maureen s'annonça. J'étais prête et je pris mon sac. Maureen m'attendait, faisant les cent pas devant la porte d'entrée, une veste indéfinissable sur les épaules et un pantalon corsaire couleur corail, une paire d'espadrilles aux pieds. Elle déposa deux bises retentissantes sur mes joues, prit mon sac qu'elle mit sans trop de précautions dans le coffre de la voiture, puis démarra sur les chapeaux de roues en m'assurant qu'elle se réjouissait de passer un week-end à la campagne avec moi.

Une fois sur l'autoroute, nous commençâmes à papoter. J'appris que Maureen, anglophone née dans un petit village des Cantons-de-l'Est québécois, avait passé son enfance dans une famille nombreuse d'origine irlandaise. Son père travaillait encore à l'entretien des voies ferrées du Canadien Pacifique et comptait bientôt prendre sa retraite. Ses parents entretenaient une petite ferme vivrière. Ses frères avaient commencé à travailler très jeunes ; Maureen avait été la seule à faire des études sérieuses, une autre sœur étant entrée chez les religieuses. Elle avait décidé d'étudier en psychologie après avoir constaté dans sa propre famille la brutalité des relations entre ses frères et son père. Sa mère avait toujours eu le rôle effacé de l'épouse au foyer, bien qu'elle ait été la seule à vraiment avoir reçu une éducation. Maureen était la plus jeune ; enfant, c'était elle qui soignait les petits animaux et aidait au ménage. Lorsqu'elle eut terminé ses études primaires, elle dut faire de longues heures d'autobus scolaire d'abord pour se rendre à l'école secondaire régionale, puis au collège Champlain et plus tard, à l'université Bishop's à Lennoxville, petite ville hôte de la seule université anglophone à l'extérieur de Montréal. Ayant obtenu sa maîtrise en psychologie à l'université McGill, elle avait immédiatement postulé à l'hôpital Royal Victoria rattaché à l'université.

Maureen se posait des questions sur sa profession et visiblement, elle n'était pas très heureuse. Elle me parla aussi de ses déboires amoureux, trop prompte à faire confiance à l'amour qui souvent s'avérait décevant. Nous approchions de Magog et j'appréciais le paysage de montagnes douces, les boisés de feuillus au vert tendre d'un début de printemps. Maureen prit la sortie de Magog. Elle enfila une petite route qui s'enfonçait dans la forêt au pied du mont Orford et je vis un panneau qui indiquait Saint-Élie-d'Orford. Nous traversâmes le village et la Toyota s'engagea sur une route de terre battue qui montait vers les monts Stoke, puis Maureen tourna à droite, longea une allée aux hautes haies de cèdres et une magnifique maison victorienne entourée d'une galerie à colonnes apparut au sommet de la côte. La vue était époustouflante, portant jusqu'aux montagnes du Maine et du New Hampshire.

Nous allions passer le week-end à l'Oignon rouge. Nous sortîmes nos sacs de l'auto et montâmes les quelques marches qui conduisaient à la magnifique porte d'entrée à la vitre biseautée gravée d'un oignon rouge. L'hôtesse, une belle femme dans la quarantaine au visage épanoui, nous fit visiter les lieux et nous indiqua notre chambre située à l'étage. Elle nous informa que, comme il était prévu, nous serions trois couples à table pour le dîner, étant donné que Maureen et moi formions un couple aux yeux de tous, ce qui fit éclater de rire Maureen. L'hôtesse, surprise, nous dit gentiment :

— Vous savez, de nos jours..., sans insister plus, le souper est à dix-neuf heures trente.

Nous en riions encore toutes les deux en faisant la découverte de notre jolie chambre mansardée dont la fenêtre garnie d'une indispensable moustiquaire ouvrait sur un petit balcon de bois. Peinte d'un jaune que les Anglais appellent *primrose yellow*, avec des boiseries blanches, des rideaux de dentelle blanche et des stores à rideau en toile, la pièce était pimpante avec son plancher vernissé et ses tapis tressés posés de chaque côté du lit. Un petit cabinet de toilette attenant se cachait derrière une porte de bois blanc.

Je tins à féliciter Maureen pour son choix et lui demandai comment nous devions nous habiller pour le souper. La réponse me plut:

— Comme tu en as envie.

Je sortis une jupe mi-longue infroissable de mon sac et un tee-shirt blanc ajusté. Avec mes sandales, ce serait parfait. Je me refis une beauté express dans le cabinet de toilette, recoiffai mes cheveux défaits par le vent, ajoutai un soupçon de rouge et je fus prête. Maureen s'enferma dans le cabinet de toilette. Je lui annonçai que je descendais lire dans le salon. Au moment où j'atteignais le bas de l'escalier, deux voitures se garèrent devant l'entrée de l'auberge. Nous étions au complet pour le dîner. Je m'installai au salon pendant que l'hôtesse accueillait les nouveaux venus.

C'était un endroit agréable ; les murs couleur aubergine, rehaussés de boiseries peintes en blanc, procuraient une sensation de chaleur communicative. Quelques jolis meubles accompagnaient les fauteuils victoriens ; un canapé à dossier recouvert d'un tissu vert foncé se mariait avec bonheur aux grands rideaux de couleur beige qui encadraient les fenêtres donnant sur la galerie. Plus loin, une double porte laissait entrevoir la salle à manger à la table déjà dressée, ornée de jolis verres et de serviettes immaculées.

J'entendais les rires des nouveaux arrivants, une voix de femme haut perchée qui accompagnait un rire sonore, celui d'un homme à la voix de fausset nasillarde, une autre voix, belle et rauque, de femme que j'imaginais sensuelle et enfin, quelques bribes d'une voix mâle, profonde et grave. À l'exception de quelques gestes aperçus à travers la porte du salon, les renseignements sur les autres convives me faisaient défaut.

Maureen arriva. Elle avait enfilé une robe en tissu indien bleu foncé qui soulignait sa tignasse rousse, retenue par un ruban de velours identique à la couleur de sa robe. À peine fardée, les pieds dans ses inséparables espadrilles de jute, un foulard qui soulignait sa taille mince, elle avait un charme romantique que je ne pourrais jamais atteindre. Nous sortîmes dans le jardin prendre l'air. Les touffes de jonquilles et de narcisses faisaient concurrence aux tulipes multicolores. Le gazon à l'orée du boisé était émaillé de crocus blancs, jaunes et bleus.

Au loin, les villages aux clochers argentés ondulaient au gré des collines jusqu'aux pentes des Appalaches. La vue était absolument saisissante dans les couleurs chaudes de la fin du jour. Je demandai à Maureen si elle avait aperçu nos voisins de chambre. Elle me trouva curieuse.

— Ne serais-tu pas un peu voyeuse, Christine?

Je lui répondis que j'aimais à imaginer les personnes que je côtoierais au cours des heures à venir.

À l'exception d'une des femmes, Maureen connaissait peu les autres convives, sauf qu'ils semblaient se connaître et voyager ensemble. Maureen me fit la description de la femme qu'elle avait vaguement entrevue. Très typée, avec des cheveux noirs courts et gominés, un peu le genre dominateur, la voix rauque, la quarantaine musclée avec de petits seins pointus qu'elle avait nus sous une veste de cuir largement ouverte. Maureen n'avait pas vu l'autre femme mais elle l'avait entendue rire.

Les hommes avaient monté les bagages, et Maureen les décrivit comme moyens et sans traits particuliers, sauf pour l'admirable pantalon de cuir noir que portait l'un d'eux et qui moulait des jambes longues et droites. Je dis à Maureen qu'elle n'était vraiment pas curieuse et qu'elle me laissait sur ma faim. Elle répondit que j'aurais pendant le souper tout le loisir de mettre mon nez partout et de faire fonctionner mes antennes. Elle était un peu frustrée que je m'occupe plus des autres que d'elle-même.

— Nous étudierons la situation toutes les deux et nous échangerons nos remarques. J'espère que tu n'éclateras pas de rire en plein dîner, lui dis-je en riant.

Je serrai son bras et nous retournâmes à la maison presque tendrement. Maureen s'arrêta soudainement, elle se précipita vers la Toyota, ouvrit le coffre et en sortit un joli panier d'osier rempli de bouteilles. J'éclatai de rire, lui demandant si elle croyait que nous allions vider toutes ces bouteilles pendant le week-end. Elle me répondit :

— Vraiment, tu ne sais pas ce que c'est qu'une Irlandaise sur le *party* !

Une nuit chaude...

Nous entrâmes dans la maison, Maureen monta son panier dans la chambre après m'avoir confié un Dubonnet et une bouteille de rouge. Je préparais les apéros lorsque Maureen entra dans le salon en coup de vent :

— Tu ne devineras pas, me dit-elle en saisissant le verre que je lui tendais, j'ai vu l'autre femme, toute nue, elle avait laissé sa porte entrouverte et le miroir me reflétait son corps. Elle est splendide, avec des fesses...

Je regardai Maureen un peu stupéfaite.

— C'est bien ce que tu voulais savoir, n'est-ce pas ? ajouta-t-elle en souriant.

Enfin, nos voisins n'étaient pas bégueules et c'était déjà ça, pensais-je. Maureen continua en me disant que les murs étaient minces et pas trop isolés.

— On entend tout, me dit-elle, même le son d'une claque sur les fesses...

— Ah bon, lui dis-je, parce que tu as entendu quelqu'un donner une claque sur des fesses ?

Maureen trouvait qu'en effet, ça ressemblait à cela.

L'hôtesse déambula dans le salon et le vestibule en faisant retentir une clochette d'argent comme celle que nous avions à la table de mon père pour appeler les domestiques. Des pas dans l'escalier annoncèrent l'arrivée des autres dîneurs. La maîtresse de maison fit les présentations. Il y avait Roger, le grand brun au pantalon de cuir et au tee-shirt Nike, Paul, celui à la voix de fausset nasillarde, avec des lunettes cerclées de fer, Anna, la belle aux cheveux noirs gominés, très typée avec un rouge à lèvres fracassant sur une peau très blanche, et Pierrette, la blonde qui avait involontairement tapé dans l'œil de Maureen. On nous présenta, les deux couples ne sachant pas vraiment si nous étions un couple de lesbiennes en goguette ou simplement deux amies en balade. Chacun chercha sa place à table, indiquée par un carton. La maîtresse de maison avait pris soin de nous mettre au centre et Maureen me faisait face. J'avais à ma droite le grand Roger et à ma gauche Anna aux cheveux noirs. Maureen était aux côtés de Paul et de Pierrette.

J'avais peu l'habitude de ce genre de convivialité sans contrainte, moi qui évolue habituellement dans des cercles plus huppés, pour ne pas dire pédants. J'aimais cette spontanéité, ce tutoiement presque immédiat, ces attouchements sans arrière-pensée où l'on se tapait sur l'épaule et échangeait des baisers sur les joues. Je m'aperçus que Maureen avait déjà les joues roses, l'alcool et la bonne humeur faisant leur chemin. J'étais plus réservée, préférant observer la tablée avant de me laisser aller à des familiarités. Maureen me relança, me traitant de snob invétérée.

— Vous avez devant vous, dit-elle, le pur produit de la grande bourgeoisie française.

Un éclat de rire secoua la tablée. Ou je me mettais tout de suite à l'unisson, ou j'allais me braquer et me renfermer dans mon monde guindé. J'optai pour la franche rigolade.

Petit à petit l'atmosphère se détendait, les discussions livrant les personnalités, les gestes ouvrant à la convivialité, les rires communicatifs créant une nouvelle intimité. Les histoires grivoises montraient le bout de leur nez, suivies d'indiscrétions de plus en plus chaudes sur les travers des uns et des autres. Notre dîner suivait son cours, nous en étions au dessert, et pendant que la tablée rigolait des blagues de plus en plus salées de Paul à la voix de fausset qui se révéla finalement être un redoutable boute-en-train, j'observais avec plus d'attention nos partenaires.

Michelle, notre hôtesse, et son mari Fernand, le chef cuisinier, nous rejoignirent pour le dessert, un magnifique gâteau aux trois mousses de chocolat fait maison. Maureen, les joues roses et le cœur en fête, alla chercher sa bouteille d'eau-de-vie de framboises. Anna, surtout, captivait mon attention. Grande et sculpturale, elle avait des cheveux très noirs et raides, taillés en épis et passés au gel, ce qui lui faisait une tête à la Tamara de Lempicka. Un blouson de chevreau noir, la fermeture éclair largement échancrée, laissait apparaître une peau très blanche et deux seins petits et fermes, aux mamelons excités par le frottement continu du blouson. Les jambes longues moulées dans un pantalon de peau, des chevilles fines et des sandalettes à hauts talons faites de fines lanières de cuir tressé complétaient l'ensemble. Tout en parlant avec les autres convives, Anna lorgnait avec insistance mes seins moulés dans mon fin tee-shirt blanc ; ma poitrine ne laissait rien à deviner et se manifestait avec insistance sous le tricot. Je ramassai ma jupe et sans en avoir l'air, la relevai sur mes cuisses nues, laissant apparaître ma peau mate et bronzée. Anna recula sa chaise pour mieux contempler le spectacle. Maureen arriva, tenant la bouteille. Elle s'était changée en vitesse, prétextant devant tout le monde qu'elle avait trop chaud. Elle avait enfilé une jupe très courte et une camisole en soie qui montrait son nombril et laissait ses seins en liberté. Très sexy et provocante.

Paul se lança immédiatement dans des travaux d'approche très ciblés sur ma copine. Roger, mon voisin de droite, après avoir ouvert la bouteille d'eau-de-vie de Maureen, prit grand soin de m'entourer de son bras libre comme pour mieux viser mon verre à liqueur et le remplit généreusement, ce qui lui permit de passer sa main le long de mon dos en direction de mes fesses, histoire d'évaluer la marchandise. Pierrette, quant à elle, habillée d'une jupe et d'un joli bustier rouge, avait posé négligemment sa main sur le bras de Maureen. Elle nous demanda à la cantonade si nous étions lesbiennes. Maureen piqua un fard. Rouge de confusion, elle ne savait quoi dire. Je regardai Pierrette dans les yeux et lui affirmai sans sourciller que non, malheureusement, nous n'étions ni l'une ni l'autre lesbiennes, que nous aimions les hommes, mais que hélas, ce soir nous allions rester sur notre faim.

Tout le monde éclata de rire. Notre hôtesse Michelle, qui, je venais de l'apprendre, était Française d'origine, nous assura que si le nombre n'y était pas, la qualité des mâles présents compenserait certainement nos attentes. Pierrette ne semblait pas de cet avis et penchait de plus en plus vers Maureen qu'elle couvrait de petits attouchements. Ses mains parlaient toutes seules et Maureen, de plus en plus réceptive aux caresses de Pierrette, ne fit aucune objection quand celle-ci la prit par la taille et entreprit de trinquer avec elle sous le prétexte de se tutoyer.

Le plus difficile à cerner était Paul, le nasillard ; il avait un physique très efféminé mais semblait dévorer des yeux notre hôtesse, une femme bien en chair et dont les contours rebondis mais harmonieux rappelaient une Vénus callipyge. Michelle avait tiré sa chaise pour se rapprocher de Paul dont je devinais la main en pleine action sous la jupe ample de notre hôtesse. Fernand, son mari, que je classais dans la catégorie des bons gros, était visiblement plus attiré par la dive bouteille que par les courbes féminines. Michelle nous suggéra de passer au salon et nous gratifia d'une musique un peu sirupeuse mais très suggestive que j'appelais dans ma jeunesse du blues pince-fesses.

Un verre à la main, les hommes ne donnaient pas l'impression de vouloir prendre des initiatives dansantes. À ma surprise, ce fut Anna qui lança, si l'on peut dire, le bal. Elle invita Maureen à danser une espèce de rumba langoureuse. Bientôt, ce fut au tour d'Anna en pantalon et de Maureen parée de sa minijupe de nous offrir une version particulièrement explicite de *Danse lascive*. Amoureusement entrelacées, sensuelles à souhait, les deux femmes nous subjuguaient. Paul continuait ses manœuvres d'approche et ses mains entreprenantes essayaient de se glisser dans la gorge invitante de Michelle sous le regard bonasse de Fernand, perdu dans ses vapeurs d'alcool. Tout en creusant la poitrine pour permettre à la main de Paul de gagner du terrain, Michelle regardait le spectacle fascinant donné par Anna et Maureen.

J'étais moi-même complètement absorbée par les deux corps presque soudés qui se mouvaient au rythme endiablé de la musique, tandis qu'Anna introduisait sa jambe gainée de cuir noir entre les jambes de Maureen et la basculait sur sa cuisse dans un mouvement plus sensuel qu'amoureux. Roger, pendant ce temps, s'était placé derrière le dossier de mon fauteuil, ses deux mains posées sur mes épaules. Je pris sa main droite et l'attirai près de moi. En lâchant sa main, le dos de la mienne s'aventura sur son pantalon de cuir et perçut sous ce dernier une longue queue en semi-érection le long de l'intérieur de sa cuisse droite. Je levai la tête, il se pencha et déposa un baiser sur mes lèvres entrouvertes. Pierrette, assise en face de moi dans un fauteuil identique au mien, buvait des yeux les deux danseuses, ne s'occupant pas de son mari qui pelotait sérieusement la maîtresse des lieux, sa deuxième main aventurée haut sur la cuisse de Michelle.

La musique s'arrêta, nous applaudîmes pendant qu'Anna déposait un baiser sur la joue de Maureen pour la remercier. Maureen chercha un siège pour s'asseoir, les joues rouges et le regard pétillant. Un slow suivit, Anna vint avec autorité me tendre la main; je n'avais qu'à obéir, me lever et aller danser. J'en profitai pour glisser à Roger l'idée d'inviter Maureen ou Pierrette. Il s'exécuta, invitant les deux à la fois. Anna prit ma main et ma taille avec une fermeté qui m'étonna ; il n'y avait aucune douceur dans ses gestes que je trouvais plus machos que féminins. Elle me prenait, me dirigeait comme un homme qui entraîne sa danseuse au bal musette. Je trouvais sa façon de faire étrange et fascinante à la fois. Elle dansait très bien, mais comme un homme, se collant et avançant le bassin comme si elle voulait presser son sexe sur le mien. C'était un peu comme un viol, une agression à laquelle il fallait que je me soumette, avec ou sans plaisir. Je répondis à ses avances, poussant mon pubis contre le sien. Elle devint alors plus douce, plus affectueuse, un peu comme le mâle qui a conquis sa belle et qui sait qu'elle n'opposera plus aucune résistance et acceptera toutes ses avances. Ses longues cuisses forçaient mon entrejambe, se collant à mon pubis, une main de fer dans mon dos écrasait mes seins sur sa poitrine, l'autre autour de mon cou forçait mes lèvres à rencontrer les siennes. Je glissai ma main sur sa poitrine, à la recherche d'un sein, je pinçai son mamelon dur et ferme, Anna poussa un râle, rejetant sa tête en arrière.

À côté de nous, Roger dansait avec Maureen et Pierrette. Quand je dis « dansait », je suis très en deçà de la réalité, il s'agissait plutôt d'une immense partie de frottage érotique où l'on apercevait des peaux dénudées, des mains allant d'un pénis à une bouche, d'autres caressant la pointe d'un sein ou un pubis à peine caché. Les jupes étaient soit remontées très haut ou alors portées en taille basse ouvrant des visions sur des fesses rondes et fermes ou une chatte à portée de main. Paul et Michelle se trémoussaient avec les autres ; l'ambiance érotique était devenue palpable. Tout en caressant Anna, je l'entraînai doucement vers les autres et nous fûmes bientôt tous réunis dans un magma de gestes érotiques bercés par une musique qui nous encourageait à poursuivre nos ébats.

Le slow s'évanouit, ce fut le signal d'une ruée vers le deuxième étage, l'escalier débordant de mains baladeuses. Je sentis une main remonter le long de ma cuisse alors que je posais le pied sur la dernière marche ; la main se fit plus insistante, puis réalisant que la voie était libre, un doigt remonta jusqu'à ma fente, s'y introduit brièvement pour redescendre le long de ma jambe, laissant une longue traînée humide sur son passage. Je me retournai et aperçus Paul qui me souriait.

Nous arrivâmes tous tant bien que mal dans le petit salon qui servait d'antichambre au haut de l'escalier. Les portes des quatre chambres donnaient sur ce petit hall. Il y eut alors un silence plein d'hésitation, chacun s'interrogeant sur la suite à donner aux hors-d'œuvre érotiques dégustés au salon. Soudain, je vis les grands yeux verts de Maureen qui semblaient chercher une issue à son plaisir, puis ce fut Paul qui l'entraîna avec Michelle vers la porte du fond. Anna se retourna et lança à Pierrette un :

— Toi, suis-moi..., rempli de menaces voilées.

Elle ajouta :

— Ce soir, tu as vraiment besoin d'une bonne correction !

Je n'ai jamais eu d'attirance pour le sado-masochisme et je me félicitai de ne pas avoir à subir la domination d'Anna. Il restait Roger et moi, nous nous regardâmes et je sentis que Roger était fort satisfait de la situation qui se présentait. Je le pris par la main et nous rejoignîmes ma chambre. Il ne me restait pas grand-chose à enlever pour me retrouver nue. Roger laissa tomber son pantalon de cuir et son tee-shirt, je retirai le mien en un clin d'œil et nous nous retrouvâmes l'un contre l'autre. Roger m'embrassa, descendant lentement de ma bouche à mes seins qu'il suça et mordilla, puis le long de mon ventre en faisant une pause pour titiller de sa langue l'anneau d'or qui ornait mon nombril. Il s'agenouilla doucement pour atteindre ma vulve déjà gonflée.

Sa langue s'attarda sur mes grandes lèvres qu'il finit par tirer doucement avec ses dents comme pour ouvrir les pétales de ma fleur. Une fois mes lèvres écartées, il fonça sur mon clitoris qui du coup sursauta, gonflé de plaisir. Roger savait ce qu'une femme recherche pour son plaisir. Il jouait sur tous les accords pour me faire vibrer et mon sexe devint une énorme jouissance prête à subir l'orgasme final. Roger se releva, je sentis sa queue longue et épaisse remonter entre mes cuisses pour finalement se coller à mon sexe. Elle était dure et palpitante et je pouvais ressentir ses pulsations sanguines qui se transmettaient à ma vulve. Nous nous embrassâmes à corps perdus, nos langues fouillant nos bouches, se léchant et se caressant dans un doux combat entre nos lèvres entrouvertes. La chaleur de sa verge contre mon sexe devenait insupportable, il fallait que je regarde et prenne dans ma bouche cet instrument fabuleux ; je me glissai donc contre le corps dur et musclé de Roger pour atteindre l'objet de mon désir.

À genoux, je pris entre mes mains cette verge magnifique, retroussant la peau pour dégager le gland dans toute sa splendeur. Une perle liquide pointait sur le méat, je la lapai puis ma langue commença à s'enrouler autour du gland. Mes lèvres butèrent contre le gland et s'ouvrirent, frémissantes et accueillantes pour laisser pénétrer cette verge superbe. D'une main, je serrai mon plaisir et de l'autre, je caressai les couilles nerveuses et imberbes. Roger poussa un cri et je reçus dans la bouche un sperme doux et brûlant. Roger n'avait pu résister plus longtemps à ma médecine ; je le gardai dans ma bouche jusqu'à ce que sa verge se décontracte et je le léchai jusqu'à ce qu'il se retire.

Il me releva, me serra dans ses bras et me fit basculer dans le lit. Après quelques doux instants de caresses, il se mit à embrasser mon bas-ventre toujours en feu, ranimant les fibres nerveuses qui parcouraient mon sexe. Sa langue se fit douce et persuasive quand ses mains écartèrent mes cuisses avec délicatesse. Je sentis ma fleur s'ouvrir, les pétales des grandes lèvres libérant le pistil magique du plaisir.

Nous entendîmes soudain des râles de plaisir et des cris en provenance d'une chambre jouxtant la nôtre, puis des coups de cravache avec le « aïe ! » caractéristique du coup reçu, puis encore des « aïe ! » hystériques. Roger introduisit un doigt dans mon vagin détrempé, bientôt suivi d'un deuxième qui se mit à la recherche de mon point sensible, pendant que sa langue déclenchait de délicieux frissons sur mon clitoris. À ce moment précis, un râle de plaisir insensé traversa les murs et déclencha mon orgasme qui, semblait il, se multiplia à l'infini. Je n'étais plus qu'une houle secouée par des crêtes d'orgasmes portées par des vagues successives. Comme les vagues s'échouent sur la plage, la houle diminua dans les bras de Roger, affectueux et tendre.

Les cris de jouissance furent suivis par des râles qui ressemblaient à des sanglots, puis tous sombrèrent dans un sommeil profond peuplé de rêves érotiques insensés...

Les premiers rayons du soleil pénétraient dans la chambre et dans mon demi-sommeil, je sentis la tignasse rousse de Maureen lovée là, contre mon corps nu. Je tâtai avec ma main et rencontrai une cuisse poilue, celle de Roger qui dormait du sommeil du juste. Je pris Maureen par la taille, elle se colla encore plus contre moi, puis très doucement elle se retourna et je découvris ses beaux yeux verts remplis de larmes. Elle voulut parler. Je mis mon doigt sur ma bouche pour la dissuader et lui fis un signe montrant que le reste du lit était occupé. Je me retournai et doucement, je réveillai Roger. Il aperçut Maureen, se leva à moitié endormi et sortit de la chambre sans dire un mot. Je pris Maureen dans mes bras et la serrai très fort.

— Christine, me dit-elle, c'était horrible..., et elle se remit à pleurer.

Je la consolai, l'embrassai et finalement elle se rendormit dans mes bras.

Un matin de printemps à Orford

Ce sont les oiseaux qui me réveillèrent. Un merle, particulièrement actif, chantait sa ritournelle dans le pommier donnant sur notre fenêtre. En bougeant je réveillai Maureen, qui m'embrassa, encore ensommeillée. Je me levai et pris la direction de la salle de bain. J'étais sous la douche quand Maureen vint me rejoindre, écartant le rideau et se glissant sous l'eau chaude qui giclait de la grosse pomme de douche. Elle me demanda de lui frotter le dos :

— Doucement..., précisa-t-elle.

Elle se tourna et je découvris avec stupeur de grandes zébrures rouges sur le bas de son dos et sur ses fesses, certaines marquées profondément dans la chair au point où le sang perlait sur les blessures. Je pris Maureen par les épaules et lui demandai sous le vacarme de la douche ce qui s'était passé durant la nuit.

C'est ainsi que j'appris que la pauvre Maureen, qui avait forniqué avec Paul et Michelle, était ensuite tombée sous la coupe d'Anna. Cette dernière, après avoir fait jouir Pierrette qui, de toute évidence, consentait aux jeux pervers d'Anna, était entrée dans la chambre où Michelle, Paul et Maureen se reposaient après d'intenses ébats. Excitée par ses jeux sado-masochistes avec Pierrette, elle avait attrapé Maureen pour assouvir ses bas instincts. Michelle s'était défilée en vitesse pour rejoindre son soûlographe de mari endormi dans un fauteuil du salon.

Anna, après avoir retourné brutalement Maureen sur le ventre, lui avait attaché les poignets aux montants du lit en cuivre et avait commencé sa session par des attouchements précis entre les fesses avec le manche de son fouet de cuir sous le regard amusé de Paul. Ce dernier en profitait pour caresser les seins de Maureen tandis qu'Anna, de plus en plus excitée, commençait à appliquer de légers coups de cravache sur la croupe rebondie et blanche. Les coups marquaient immédiatement la peau qui rougissait et Maureen, curieusement, commençait à sentir un étrange picotement de plaisir monter au fond de son sexe. Anna se déshabilla, gardant ses sandalettes à haut talon et un string de cuir. Tout en se caressant au corps de Maureen, elle portait des coups de cravache de plus en plus précis sur le dos, les fesses et le sexe de ma pauvre amie.

Étonnamment, Maureen devenait de plus en plus excitée sous les coups et les caresses de Paul et d'Anna jusqu'au moment où un orgasme puissant l'emporta. C'est alors que son calvaire commença; une fois le plaisir intense dépassé, les coups et les caresses devinrent odieux à supporter, l'adrénaline du plaisir ne suffisant plus à l'excitation grandissante des deux amants. Paul se mit à jouir en se masturbant sur les fesses de Maureen tandis qu'Anna, après avoir ajusté un godemiché autour de son ventre, se mit à lui pilonner rageusement le sexe jusqu'à ce qu'elle, emportée dans un délire, se retrouve assouvie. Maureen fut détachée par Paul. Elle ressentait une honte épouvantable d'avoir été utilisée comme un vulgaire objet sexuel par les deux amants et s'enfuit jusqu'à notre chambre, en pleurs et humiliée au plus profond d'elle-même.

Après notre douche, je la pris doucement par les épaules et l'étendis sur le lit. Je cherchai dans mon fourre-tout une lotion apaisante que j'appliquai avec délicatesse sur les marques encore douloureuses qui zébraient le bas de son dos. Maureen m'avoua que ce qui l'humiliait, c'était d'avoir, dans un premier temps, ressenti un plaisir ineffable sous les coups et les caresses de Paul et d'Anna qui avaient remarqué qu'elle n'était pas restée insensible à leurs mauvais traitements. Mais surtout, elle avait connu le plus intense des orgasmes de sa vie au moment où elle avait joui sous les coups et cela l'humiliait profondément.

Maureen était troublée et un peu dépassée par toutes les sensations qui l'avaient traversée pendant la nuit. Je décidai qu'elle avait besoin de calme et qu'au lieu de prendre notre déjeuner à la salle à manger, nous irions tout simplement bruncher sur une terrasse à Magog. Nous nous habillâmes en un clin d'œil et quelques minutes plus tard nous étions prêtes à prendre la route. Lorsque Maureen s'assit dans la voiture, une douleur intense et diffuse lui rappela sa nuit mouvementée. Incapable de conduire elle-même, elle me demanda de prendre le volant. Chaque cahot lui arrachait un gémissement et nous arrêtâmes finalement à Orford afin d'abréger son supplice.

La terrasse était invitante, le déjeuner copieux et nous en profitâmes pour mettre nos idées au clair. Je racontai ma nuit avec Roger et Maureen me trouva chanceuse. J'avais eu la meilleure part sans l'avoir choisie. Elle me confia que Pierrette était bisexuelle et très portée sur les jeux de domination. Roger la laissait faire mais ne participait pas aux jeux d'Anna, de Paul et de Pierrette. D'après Maureen, Paul était en quelque sorte impuissant et il jouissait par procuration des tendances sadiques de sa femme et, toujours selon Maureen, sa petite séance avec Michelle n'avait pas débouché pour lui sur de véritables plaisirs.

Je confiai à Maureen que ce genre de *bed & breakfast* n'était peut-être pas un lieu de tout repos. Elle m'avoua que l'Oignon rouge avait une réputation un peu sulfureuse et qu'elle avait découvert l'endroit avec une de ses anciennes flammes. Après le déjeuner, nous fîmes une marche le long de la forêt du parc du mont Orford, bras dessus, bras dessous comme deux collégiennes. Je me rendis compte que j'avais un certain ascendant sur Maureen et la sentais heureuse de notre complicité retrouvée. Elle posa à plusieurs reprises sa tête rousse sur mon épaule et s'arrêta pour me donner un baiser sur la joue. J'eus le sentiment de jouer à la grande sœur ou à l'amie préférée. Cela me rappela l'époque bénie de mes amours de collégiennes et du temps passé, sans grand souci mais studieusement, dans le petit collège privé du centre de la France que je fréquentais alors.

Il me semblait de plus en plus difficile de retourner à l'Oignon rouge après la nuit que nous venions d'y passer. Je m'en ouvris à Maureen et lui demandai si elle ne préférait pas aller à la découverte d'un autre endroit pour y passer la nuit. À mon grand étonnement, elle me fit « non » de la tête. Je découvris que l'Oignon rouge exerçait sur Maureen une fascination difficilement compréhensible. Je décidai de ne pas revenir sur le sujet et repris le volant en direction de

Magog afin d'y passer quelques heures à faire les boutiques à la mode.

L'après-midi passa très vite. Les mains chargées de gros sacs, nous nous arrêtâmes à la terrasse d'un bistrot afin d'étancher notre soif. Je regardai ma montre, il était dix-sept heures, le temps de reprendre la route et de retourner à notre *bed & breakfast* afin de nous préparer pour le dîner concocté par Fernand qui, je l'espérais, serait revenu à des états moins éthyliques.

Samedi soir à l'Oignon rouge

En arrivant, Maureen demanda à Michelle quelques glaçons pour monter à notre chambre. Nous déballâmes nos achats et recommençâmes nos essayages. Un joli miroir ovale nous permettait de juger de l'effet de nos vêtements sur nos corps et comme pour toutes les femmes, ce fut là l'occasion d'un papotage sans fin, tout en sirotant un Pernod. Maureen constata que les marques de cravache de la veille avaient presque disparu, signe qu'Anna connaissait son métier de dominatrice. Maureen avait acheté une jolie jupe à fleurs longue et diaphane qui laissait voir ses jambes fines et ses hanches hautes. Je lui dis que c'était ce qui lui allait le mieux, avec un petit haut laissant son dos nu. Je regardai son corps et remarquai qu'elle était particulièrement bien faite, avec un ventre plat d'où émergeaient de jolis seins un peu lourds qui amplifiaient ses mouvements. Libres sous le mince tissu, ils devenaient infiniment désirables. Je le lui dis et elle me regarda, attendrie, puis se jeta dans mes bras pour m'embrasser.

Je me dévêtis pour essayer mes nouvelles acquisitions. Maureen était fascinée par mon ventre mordoré et ma chatte imberbe, polie comme un galet qui aurait roulé trop longtemps dans le sable, et le fait que je portais rarement de petites culottes. Ma chatte avait pris l'habitude du grand air et je n'arrivais plus à supporter qu'elle soit entravée, sauf quand l'hiver québécois devenait par trop rigoureux. Je mis une robe portefeuille qui s'attachait sur le côté et un haut de soie bleu clair qui soulignait la matité de ma peau. Un léger maquillage et nous fûmes fin prêtes pour affronter notre deuxième dîner à l'Oignon rouge.

Un quatrième couple nous avait rejoints pour cette soirée, une magnifique brune pulpeuse aux yeux bleus et au corps magnifique, accompagnée d'un grand gringalet trop maigre mais avec des yeux charmeurs et doux. Il était prévenant envers sa compagne, pour ne pas dire aux petits soins. Maureen trouvait qu'ils n'avaient pas le profil de la maison. J'ajoutai qu'à ce compte-là, moi aussi je détonnais. Nous partageâmes nos apéritifs et je fis remarquer à Maureen que nos amis de la veille semblaient étrangement calmes. Paul sirotait une bière, Roger lisait, plongé dans un magazine. Anna avait adouci sa tenue, elle faisait plutôt jeune fille rangée que vamp dominatrice, habillée de vêtements qui étaient loin de la mettre en valeur. Pierrette avait d'énormes poches sous les yeux, elle avait dû certainement avoir une journée difficile.

Je profitai de l'ambiance calme du moment pour engager la conversation avec la belle brune pendant que Maureen, réfugiée sur la terrasse, discutait avec le gringalet. Nous nous présentâmes, j'appris que mon interlocutrice s'appelait Dominique.

— Domi pour les intimes, précisa-t-elle.

Et son conjoint, le grand sec, s'appelait Philippe. Ils étaient tous deux des habitués de l'Oignon rouge et Domi me raconta dans le détail l'histoire du lieu. Michelle et Fernand étaient Montréalais, ils avaient fui la ville pour s'établir à la campagne. Fernand, après des essais infructueux en tant que producteur de fromage de chèvre, puis comme maraîcher de légumes biologiques, s'était finalement reconverti en cuisinier.

Michelle avait hérité un peu d'argent de son père et en avait profité pour restaurer leur vieille maison victorienne, ajoutant toutes les commodités du confort moderne et la convertissant en *bed & breakfast*. Elle avait aussi réaménagé la cuisine d'été, transformé le rez-de-chaussée en cuisine digne d'un professionnel et la mansarde en chambre des maîtres. Et puis, Fernand était allé parfaire ses connaissances culinaires à l'Institut d'hôtellerie de Montréal. Il adorait son nouveau métier et Michelle se plaisait bien dans son rôle d'hôtesse. Cette nouvelle entreprise leur permettait, une fois l'hiver venu, d'aller prendre des vacances méritées au Mexique.

Fernand et Michelle s'étaient liés d'amitié avec certains de leurs pensionnaires et s'étaient ainsi lentement convertis au libertinage. L'Oignon rouge était maintenant connu par les initiés comme un lieu où l'on pouvait associer libertinage et tranquillité campagnarde selon les goûts de chacun. La clientèle de Michelle et de Fernand était donc le plus souvent constituée d'habitués qui parfois introduisaient dans le cercle de nouveaux visiteurs venus découvrir un décor social et amical particulier. J'appris aussi de Domi que seuls les habitués recevaient le feu vert de Michelle qui protégeait férocement l'intimité de ses invités. Il m'apparut donc que Maureen faisait partie de ce groupe d'initiés et je comprenais mieux maintenant son attachement pour ce lieu de plaisir idyllique.

Domi était ce que j'appelle une femme intéressante. Intellectuelle, travaillant dans le milieu des arts graphiques, elle s'occupait de production de films et de livres d'art pour certains musées américains. Elle m'apprit qu'elle était bisexuelle et qu'elle ne s'en cachait pas et que Philippe, son conjoint, était, comme elle le disait avec humour, à voile et à vapeur. Mais elle l'appréciait par-dessus tout pour son immense douceur et sa gentillesse. Il était lui aussi psychologue, comme Maureen, et travaillait dans la réinsertion des travailleurs mis au chômage. Lorsque je lui confiai que mon seul métier était celui d'une dilettante à temps plein, elle s'esclaffa en disant :

— Mon Dieu ! Est-ce possible qu'une telle personne existe encore de nos jours ?

Je lui avouai que je savourais mon privilège chaque minute de ma vie, ce qui était largement exagéré, et que cela me permettait de me concentrer sur ma vocation de vraie salope. Domi éclata de rire :

— Ah, il faut que je raconte ça à Philippe, tu es épatante ! dit-elle en faisant de grands signes à son conjoint en pleine conversation avec Maureen.

Nous rejoignîmes Philippe et Maureen et commençâmes tous les quatre à bavarder sur tout et sur rien. Domi et Maureen riaient de tout et surtout lorsque je leur racontai très sérieusement les vacheries dont j'avais marqué mon existence, les mecs que j'avais abandonnés au bord de l'orgasme sans jamais les revoir ou encore le pauvre type que j'avais laissé en bordure d'autoroute sous la pluie entre Paris et Lyon uniquement parce qu'il voulait me convertir en témoin de Jéhovah pour me sauver de l'enfer à la fin de mes jours.

Michelle s'approcha de notre petit groupe et nous informa que, pour le dîner, elle avait préparé deux tables, car elle savait d'avance que nous sympathiserions avec Domi et Philippe. Intriguée par cette annonce, je suivis Michelle jusqu'à la cuisine sous prétexte de chercher quelques olives et lui demandai pourquoi elle avait séparé ses convives en deux tables. Elle m'avoua que Roger lui en avait fait la demande après avoir eu une altercation avec Anna et Pierrette. Il ne voulait plus être mêlé à d'autres convives. Michelle souligna qu'Anna avait vraiment dépassé les bornes et que Pierrette et Anna devaient changer d'attitude si elles voulaient revenir à l'Oignon rouge. Je comprenais maintenant pourquoi nos voisins de la veille se tenaient cois et nous avaient à peine saluées lorsque nous étions entrées au salon. En revenant avec mes olives, j'adressai un furtif coup d'œil à Roger qui timidement, me sourit.

La petite clochette de Michelle tinta et nous nous dirigeâmes tous vers la salle à manger. Domi me prit par les épaules et m'assit à côté d'elle. Philippe partagerait l'autre côté de la table avec Maureen. Philippe avait ouvert une bouteille de champagne et Maureen, qui arrivait avec son pouilly-fuissé, eut une petite moue de dépit. Je lui dis que le champagne nous servirait d'apéritif, le pouilly accompagnerait l'entrée et sa bouteille de vin rouge serait dégustée avec la viande et le fromage. Philippe ajouta :

— Et nous serons après tout cela, ronds comme des barriques.

Maureen renchérit :

— Et ma framboise, ça sera pour quand ?

Le dîner s'annonçait sous le signe de la bonne humeur. Ce qui faisait un curieux contraste avec l'ambiance mortelle de la table voisine…

Au cours du repas, je m'aperçus que Philippe s'occupait avec entrain des cuisses de Maureen. Cette dernière jouait l'innocente, entretenant une conversation banale comme s'il ne se passait rien. Je l'observais. Tout à coup ses joues se colorèrent et son discours se fit moins cohérent. Philippe devait avoir atteint son but et je souriais doucement à Maureen d'un air entendu. Elle comprit ma mimique et rougit plus fort. Domi, perspicace, demanda à Maureen si elle ne trouvait pas que Philippe avait des doigts un peu trop longs. C'en était trop pour mon amie qui devint rouge de confusion, et de plaisir…

Le dîner tirait à sa fin et j'étais surprise que Domi n'ait encore rien tenté. Je décidai donc de m'en occuper, collai ma jambe contre la sienne et laissai ma main haut sur sa cuisse. Elle me regarda, puis sourit et me prit par le cou pour m'embrasser presque sous l'oreille, à l'endroit où je suis le plus sensible, celui qui me fait frissonner de plaisir jusqu'au fond de mes entrailles. Domi avait une peau incroyablement douce et ma main parcourait sa cuisse comme par magie. Je remontai mes doigts doucement à la rencontre de son ventre et fus étonnée de trouver un pubis glabre, poli comme le mien, aux grandes lèvres déjà tumescentes et mouillées. Lorsque mes doigts atteignirent le petit bouton magique qui déclenche notre tourmente érotique, Domi me prit la tête à deux mains et sa langue s'enfonça violemment dans ma bouche pour chercher la mienne. Je sentis ses lèvres chaudes sur les miennes et son baiser fougueux me fit mouiller encore un peu plus.

Philippe, qui avait suivi la scène des yeux pendant que sa main gauche baladeuse s'activait sous la jupe de Maureen, nous lança un :

— Eh bien, ne vous gênez surtout pas ! avec un sourire malicieux, ajoutant, est-ce qu'on peut participer ?

Domi abandonna mes lèvres et répliqua :

— Espèce d'hypocrite, tu penses que je ne te vois pas tripoter Maureen depuis le début du repas !

À notre table, quand arrivèrent le fromage et les desserts, le thermomètre accusait une forte hausse, tandis que nos voisins visiblement ne s'amusaient guère. Michelle observait la scène du coin de l'œil et dit à la cantonade :

— Pour faire exception, j'ai servi le café au salon, vous pourrez ainsi tous faire plus ample connaissance.

Domi me souffla à l'oreille qu'elle connaissait les deux autres couples et qu'elle n'avait pas vraiment envie de fraterniser. Je lui demandai si elle avait déjà goûté aux débauches d'Anna. Elle me fit signe que oui et ajouta qu'une seule fois avait amplement suffi. Maureen qui avait suivi notre conversation ajouta qu'elle aussi avait eu sa dose et n'avait pas le goût de recommencer. Philippe suggéra que nous allions faire un tour après le dîner afin de couper court à tout rapprochement avec les autres convives. J'ajoutai que c'était dommage pour Roger qui avait vraiment des dons pour faire un bon amant. Domi acquiesça en ajoutant qu'il n'avait qu'à changer de compagne ou à faire comprendre à Anna qu'elle devait perdre son goût de domination.

— Et ma framboise ? demanda soudain Maureen.

— Si c'est Philippe qui conduit, nous finirons la bouteille à trois !

Aussitôt le café pris, nous abandonnâmes les autres et nous dirigeâmes vers la voiture de Philippe. Il adorait les vieilles bagnoles. Nous nous plongeâmes dans les sièges moelleux de la Chrysler

Impérial, les trois filles à l'arrière et Philippe seul au volant.

— Vous n'êtes pas chic, les filles ! fit ce dernier, vous allez vous pe-loter toutes les trois comme des gouines pendant que je tremble de désir au volant !

Domi, qui avait envie de faire dans la vacherie, lui répondit :

— De cette façon, tu auras plus de chances de ramasser un joli minet le long de la route !

Philippe rit et lança un :

— Vous les filles, vous allez voir ce que vous allez voir !

La voiture prit la route de Magog, car nous avions décidé d'aller traîner dans les bars de la petite ville qui commençait à s'animer en ce début de la belle saison. Notre choix s'arrêta sur un endroit sympa qui faisait pub et restaurant. La foule était dense, on dansait sur une piste minuscule au son d'une musique rock infernale, des écrans de télévision diffusaient des matchs de baseball et des clips de Musique Plus. Après avoir commandé un pichet de bière rousse et trempé nos lèvres dans la mousse épaisse, nous nous élançâmes tous les quatre sur la piste de danse congestionnée. Je n'avais pas dansé depuis une certaine soirée à Paris ; ici la musique n'avait pas pour but de créer des liens entre les individus. Elle encourageait plutôt le narcissisme total, chacun dansant pour soi en essayant de se faire le plus remarquer par des mouvements sensuels ou des dé-hanchements violents, à la limite de l'entorse, de la crise d'hystérie ou de l'hyperventilation.

Certains danseurs aux yeux écarquillés et fixes, comme perdus dans un monde irréel, avaient certainement abusé de drogues douces ou dures. Notre groupe dansait pour s'amuser et la musique nous rendait gais ; nos corps furent très vite en sueur. J'allai m'as-seoir, épuisée, aussitôt rejointe par Maureen dont le visage avait pris des couleurs sous le rythme endiablé de la danse. Nous regardions les autres et l'agitation autour des tables. Je suis toujours fascinée par le langage du corps autant que par le dialogue entre les gens.

Tous essaient de tirer leur épingle du jeu, qui pour la plupart, réside finalement dans la conquête de l'âme sœur.

Bientôt lassée et fourbue par la danse, Dominique se joignit à nous. Elle se laissa tomber sur sa chaise, drainée par la *house music* tonitruante projetée par les haut-parleurs. Philippe était resté sur la piste. Dominique le montra du doigt et je me retournai. Il dansait maintenant face à un jeune homme blond, bronzé comme un dieu et mince comme du papier à cigarette. Habillé d'un jean ultra moulant dessinant ses formes avec une précision diabolique et d'un tee-shirt en lamé argent, l'éphèbe ne cachait pas son appartenance au monde gai. Philippe avait l'air trop subjugué pour se soucier de Dominique ou de nous. Maureen regardait avec une fascination évidente les deux garçons qui se déhanchaient de manière indécente.

Domi, appuyée sur le dossier de sa chaise, ne semblait pas trop affectée par la passion soudaine de Philippe pour le jeune garçon. Elle expliqua le geste de son conjoint par son attirance naturelle vers les garçons.

— Je suis bien bisexuelle moi, j'aime les filles… pourquoi Philippe ne s'éclaterait-il pas?

Maureen trouvait que ce n'était pas la même chose, que les filles ont naturellement une complicité plus grande et plus affectueuse entre elles que les garçons, et puis, dit-elle, il y avait le sida… Domi expliqua qu'elle et Philippe, en couple prudent, étaient adeptes du *safe sex*. Maureen ouvrit les yeux tout ronds et lui demanda de quoi il s'agissait.

Domi expliqua qu'elle et Philippe n'avaient jamais de relations complètes avec d'autres personnes et qu'ils se contentaient de jouir et de s'éclater avec tout un chacun en faisant tout ce qu'il était possible de faire sans consommer une pénétration. En disant cela, Domi avait adopté un ton un peu doctoral comme si elle donnait un cours de sexologie à l'université. Si Maureen semblait passionnée par le discours de Domi, je commençais à trouver le temps long. Décidément, j'étais davantage faite pour l'action que pour les cours de grivoiserie.

Je suggérai donc à notre nouveau club de femmes de retourner à l'Oignon rouge afin de nous mettre sérieusement aux travaux pratiques. Domi alla parler à Philippe qui dansait toujours. Celui-ci lui remit les clefs de la voiture et, complètement obnubilé par son nouveau partenaire, ne prit même pas la peine de nous dire au revoir. Nous quittâmes le pub bras dessus, bras dessous alors que plusieurs hommes nous faisaient des propositions, pas suffisamment malhonnêtes toutefois pour nous faire bifurquer vers d'autres plaisirs.

Domi prit le volant, Maureen s'assit à sa droite et j'optai pour le siège arrière. Je m'assis derrière Domi et pendant que la voiture roulait, j'enfonçai ma main sous son corsage et lui pris le sein droit, mes doigts s'amusant à torturer doucement le mamelon érectile. Domi me demanda d'arrêter sous peine de finir dans le fossé, mais elle n'empêcha pas ma main de la caresser et de s'attarder à plaisir sur son sein maintenant turgescent. De sa main droite, Domi avait relevé haut la jupe de Maureen et se frayait une place sous la culotte de dentelle, à l'assaut d'un clitoris déjà trempé de désir. Ah, le plaisir des voitures où l'on peut utiliser ses mains à autre chose que de passer les vitesses... Nous faillîmes rater l'entrée du chemin conduisant à l'Oignon rouge, mais finalement la voiture s'arrêta net devant la maison.

Tout émoustillées, nous sortîmes en nous embrassant et en nous gratifiant de toutes sortes d'autres cajoleries. Notre excitation nous précipiterait très vite et sans autres formes de procès dans le premier grand lit disponible. Nous étions sur le point de gravir le perron lorsqu'un grand cri déchira l'air. Nous entrâmes au salon, et après avoir poussé la porte, découvrîmes l'hôtesse des lieux, nue, attachée par les mains à une corde pendant d'une solive, jouissant sous la cravache d'Anna. Les autres invités avaient disparu. Au moment où nous nous approchions, Anna forçait le manche de sa cravache dans le sexe de Michelle qui jouit d'un orgasme incroyable. J'entraînai mes compagnes hors de la pièce et nous montâmes dans ma chambre, encore bouleversées par le spectacle auquel nous venions d'assister involontairement et qui eut pour effet de faire retomber notre libido à zéro. Nous nous couchâmes, nues dans le grand lit, en nous tenant dans les bras l'une l'autre, affectueusement, conscientes de la douceur de nos gestes d'amour et de tendresse, et nous sombrâmes bientôt dans les bras de Morphée.

Le lendemain matin, je ressentis une présence dans mon dos. Doucement je déplaçai ma main qui entourait la taille de Domi et allai à la découverte de la présence inconnue. Ma main se posa sur une cuisse velue d'homme puis elle remonta jusqu'à la hanche et je sentis doucement une verge se gonfler et durcir contre mes fesses. J'entrepris de me retourner sans réveiller Domi. La présence masculine se matérialisa sous les traits de Roger qui me regarda tendrement. Sa magnifique queue s'introduisit imperceptiblement et sans effort entre mes cuisses et buta contre mon sexe. Je restai calme, par crainte d'éveiller mes compagnes de lit, et Roger ne tenta pas un geste pouvant révéler sa présence. Ce fut un moment très doux et tendre, une façon sublime de se réveiller. Roger me caressait tendrement et m'embrassait délicatement sur les joues. Domi se réveilla tout à coup. Me prenant par les épaules, elle releva la tête et demanda :

— C'est qui celui-là ?

Roger, surpris, sauta hors du lit et s'enfuit, nu comme un ver, en refermant la porte le plus délicatement possible. Je me retournai vers Domi, la pris dans mes bras et lui expliquai que le beau Roger était le mari d'Anna, la sado-masochiste dont les exploits avaient gâché notre retour. Je pensais bien que Roger était un être profondément sensible, choqué par les agissements de sa femme et sans doute très malheureux de la situation de son couple.

Domi et moi nous embrassâmes avec tendresse et nos caresses échangées commencèrent à réveiller nos sens. La main de Domi se posa doucement sur ma chatte et ses longs doigts effilés forcèrent les lèvres de mon sexe pour s'arrêter sur mon clitoris déjà en érection. Je poussai un long soupir de satisfaction qui réveilla Maureen. Elle se retourna, nous faisant face et lança :

— Et moi alors ? Vous êtes deux vilaines égoïstes !

Nous passâmes de doux moments toutes les trois, puis, bien réveillées, nous prîmes une bonne douche et, habillées, un peu maquillées, nous décidâmes d'aller prendre le petit déjeuner sur la terrasse. Dominique passa à sa chambre prendre son rouge à lèvres et elle ressortit en vitesse en claquant la porte. Elle nous rejoignit, nous annonçant que son pédé de mari avait ramené son minet depuis le pub et qu'ils étaient encore tendrement enlacés et pas trop prêts de se réveiller. Même si elle en avait l'habitude, Domi semblait énervée par les événements, et Maureen, elle, me confia qu'elle en avait assez de tous ces dévergondages. Nous décidâmes de ranger nos affaires et de partir à l'aventure sur les petites routes des Cantons-de-l'Est.

Ce que nous fîmes, et nous rentrâmes à Montréal par les chemins de traverse. Maureen me déposa devant ma porte, nous nous embrassâmes tendrement et elle repartit au volant de sa Toyota. Des sentiments troubles m'assaillaient et je m'interrogeais au sujet des gestes posés durant ce week-end relativement banal et sur l'enchaînement des actes qui furent commis au cours des deux soirées passées à l'Oignon rouge. Une chose sûre ressortait : je ne me sentais certainement pas attirée par le sado-masochisme. Bien au contraire, c'était avec une certaine répulsion que je pensais à Anna. Par contre, le beau Roger hantait mes pensées...

En entrant, je trouvai le courrier qui avait glissé sur le plancher et que je n'avais pas pris la peine d'ouvrir avant mon départ le vendredi précédent. Parmi les nombreuses factures, une lettre de Maud, ma chère amie anglaise. Je montai dans ma chambre après avoir posé mes affaires sur le plancher et me jetai sur mon lit. J'ouvris la lettre de Maud avec fébrilité et en sortis les nombreux feuillets d'une écriture calligraphique distinguée. J'entrepris avec délectation la lecture de la missive.

Le château de Valcroze

Je vous ai déjà mentionné mon célèbre amant, directeur de collections chez un grand éditeur parisien. Ce que je ne vous ai pas dit sur le personnage, c'est la façon plutôt inusitée avec laquelle il s'est inséré dans ma vie, et ce, précisément le jour où, après avoir fêté abondamment mes trente bougies, la mélancolie et le spleen chers à monsieur Verlaine lancèrent simultanément leur attaque dévastatrice sur mon moral déjà sérieusement atteint par le passage vers l'âge de la raison...

Je traînais mon vague à l'âme sur le boulevard Saint-Germain, à Paris, et décidai soudain de m'offrir une choucroute gargantuesque Chez Lipp afin de noyer ma nouvelle trentaine dans un flot de Gewurtztraminer et un océan de calories. Chez Lipp est un endroit très particulier. Si vous êtes un personnage connu ou une jolie femme, le maître d'hôtel vous placera bien en vue, près de l'entrée de son restaurant, afin de perpétuer le mythe de ce lieu sacro-saint. Si vous n'êtes qu'un simple touriste ou si vous ne comptez pas dans l'intelligentsia parisienne, vous risquez d'être relégué au fond de la salle, derrière une colonne, ou pire, au deuxième étage, lieu de bannissement du tout-venant lippien...

Mon minois ayant plu au maître de céans, je me trouvai assise sur la banquette, semblable à une élue à l'Académie, avec devant moi la nappe immaculée, le couvert, la serviette brodée et les services en argent plaqué. À ma droite, l'air renfrogné de l'intellectuel constipé, un monsieur que je considérais comme âgé soulignait d'un trait de crayon rageur une ligne qui lui avait déplu dans le dernier roman de Sollers. À ma gauche, l'œil allumé et brillant, le teint bourré de soleil, les dents carnivores et une magnifique lavallière bleue se découpant sur une chemise immaculée, un monsieur très séduisant s'efforçait de lire un magazine apparemment sérieux tout en détaillant les convives, surtout de sexe féminin, assis aux tables stratégiques de l'établissement.

Je m'aperçus que ce qu'il avait découvert à sa droite ne le laissait pas indifférent et que s'il continuait à m'observer sans en avoir l'air, le pauvre homme serait vite affligé d'un strabisme définitif. Il fallait donc que j'intervienne afin qu'il puisse avoir une excuse pour enfin tourner la tête vers moi sans enfreindre les règles d'une galanterie que je lui croyais innée. J'échappai donc malencontreusement mon couteau qui se retrouva par terre avec un bruit métallique, ce qui eut pour effet de réveiller mon voisin de droite sans toutefois lui faire perdre sa mauvaise humeur, tandis que mon voisin de gauche se précipitait pour ramasser ledit couteau, appeler un garçon pour lui en demander un autre, et en profiter pour engager la conversation avec la bergère, sa voisine. Si je dis bergère, c'est que son sourire et sa bouche me firent penser au grand méchant loup du conte et que ma foi, ses grandes dents et ses lèvres bien dessinées ne m'effarouchaient pas trop.

C'est donc ainsi que commença pour Aurèle et moi une longue amitié faite de moments très intellectuels, souvent amusants, parmi la faune littéraire parisienne et de merveilleuses échappées à la fois érotiques et sentimentales à travers la France des *Relais et Châteaux*, sans oublier certains endroits insoupçonnés et souvent sulfureux qui quadrillent l'Hexagone.

Un vendredi soir, après une séance de dédicace d'un auteur à succès, je me retrouvai dans une confortable berline avec Aurèle, mon ami-amant, un auteur à succès que j'appellerai Julien et son amie, une brune journaliste et chroniqueuse (j'allais dire croqueuse) dans un magazine dont je tairai le nom. La voiture roulait sur l'autoroute, le ciel était à l'orage, la pluie giflait le pare-brise et les essuie-glaces faisaient entendre leur chuintement monotone.

Peu après Orléans, la Loire traversée, Aurèle prit la bretelle de l'autoroute, s'arrêta au péage illuminé dans la pénombre de la nuit tombante puis roula sur une départementale, s'enfonçant dans de hautes futaies dont les troncs blanchis par les phares ressemblaient à des rangées de personnages blafards alignés le long de la route. Nous traversâmes deux ou trois villages déjà endormis dans une brume naissante. À l'orée d'une forêt de chênes, un long mur de vieilles pierres apparut. Nous le côtoyâmes pour arriver à une magnifique grille de portail en fer forgé. Aurèle ralentit et s'arrêta face à la grille. Il composa un numéro de téléphone sur son portable, s'annonça et, lentement, la grille s'ouvrit sur une longue allée de gravier toute droite qui s'enfonçait dans la forêt. Nous roulions maintenant à faible allure quand soudain la forêt se déchira sur une prairie dominée par un château du plus pur XVIIe siècle, un véritable petit bijou qui confirmait notre arrivée au pays des châteaux de la Loire. En comparaison des grands châteaux royaux, Valcroze était de dimensions modestes mais de proportions harmonieuses. Il était illuminé par un système de projecteurs destiné à mettre en valeur l'architecture et l'équilibre de ce joyau perdu dans la nature généreuse de cette Sologne où nous venions de pénétrer.

Historiquement, le château de Valcroze avait été un rendez-vous de chasse très couru des rois de France. Le comte de Valcroze y donnait non seulement des chasses fort prisées par les oisifs du temps, mais aussi des fêtes plus paillardes qui attiraient courtisans et courtisanes aussi bien que dames de qualité qui, loin de la Cour, pouvaient y rencontrer leurs galants et s'initier à des fredaines qui auraient pu faire jaser à Chambord ou à Blois. Aujourd'hui, le propriétaire de Valcroze, industriel connu et grand chasseur devant l'Éternel de tout oiseau à plumes et de certaines oiselles à voilettes, un homme raffiné et bien introduit dans les cercles parisiens les plus fermés, ayant accès aux politiques comme aux financiers, invitait au château une faune particulièrement bigarrée mais nettement au-dessus de la moyenne tant sur le plan financier que social. Valcroze était le lieu où l'on donnait des bals costumés très osés, des ballets roses ou bleus, des cocktails mondains où les robes les plus chères étaient celles qui dénudaient le mieux, où la morale ne faisait pas partie des cours de la bourse et où les jolies femmes du monde et du demi-monde se plaisaient à des jeux de rôle souvent très au-delà de ce que l'on appelle la pornographie.

Aurèle était un familier de Valcroze, comme il était un familier du maître de maison. Il était aussi un membre assidu des parties fines se déroulant dans ce château romantique à souhait. Ce soir, Aurèle nous avait promis de prendre un verre autour d'un feu de sarments de vigne qui réchaufferait nos corps et échaufferait nos sens.

La voiture s'arrêta devant le magnifique escalier de pierres qui montait en fer à cheval vers la double porte surmontée des armoiries sculptées des Valcroze. Un majordome nous ouvrit, salua un peu pompeusement Aurèle et prit nos manteaux. Il appela une jolie soubrette aux seins rebondis, au petit tablier de dentelle, à la jupe trop courte pour être honnête et aux bas résille tenus par des jarretelles laissant entrevoir, lorsqu'elle nous conduisit au premier étage, de jolies jambes blanches qui se détaillaient sur le fond noir de l'uniforme.

Elle nous conduisit au fond d'un couloir orné de tableaux anciens où je reconnus un Fragonard célèbre, *La demoiselle à la balançoire*. La porte s'ouvrit, la soubrette écarta les lourds rideaux de brocard et l'immense pièce nous apparut. Un feu éclairait la cheminée, quelques candélabres abritaient de longues bougies de cire ivoire, des canapés de lourd velours bourgogne se faisaient face, des glaces rococo, nombreuses et stratégiquement placées, nous renvoyaient l'image de notre petit groupe immobile au centre de la pièce. La soubrette nous montra une porte donnant sur un cabinet de toilette résolument du dernier cri, probablement décoré par François Dalle, un décorateur parisien à la mode. Je repérai, à l'autre bout de l'immense chambre-salon, un lit non moins immense, lui aussi recouvert de velours, avec çà et là une commode, des fauteuils Louis XIV, et une bergère qui semblait inviter à une paresseuse langueur érotique.

La soubrette nous indiqua un immense bahut qui faisait office de bar. Aurèle déboucha une bouteille de Dom Pérignon et se mit à remplir des coupes. La chroniqueuse n'avait pas été très bavarde durant le voyage, c'est à peine si nous avions échangé plus de trois phrases. Elle ne semblait pas apprécier ma présence, regardait Aurèle à la dérobée et ne souriait que difficilement aux avances verbales de Julien, l'auteur à succès du jour. L'atmosphère était tendue.

On cogna à la lourde porte, la soubrette réapparut avec deux sacs Vuitton en cuir chagrin vert pomme. Aurèle les prit et nous les confia. C'est alors que j'appris que la jolie chroniqueuse s'appelait Odette. Je n'arrivais pas à concevoir qu'une journaliste puisse s'appeler Odette. Un cliché ridicule de ma part, j'en conviens. Aurèle demanda à la soubrette de nous accompagner dans le cabinet de toilette afin de nous aider à nous préparer.

Je reconnus bien là la touche d'Aurèle. J'imaginai déjà ce qu'il avait concocté pour chacune de nous dans ces magnifiques sacs qui, comme à l'ordinaire, se transformeraient en cadeaux. Odette suivit la soubrette en faisant la moue, j'entrai à sa suite dans le cabinet de toilette et posai ma coupe de champagne sur le marbre blanc de la table aux vasques de vermeil. La soubrette avait entrepris Odette et la déshabillait. Quand elle fut nue, elle lui farda le bout des seins, la bouche, puis les lèvres de son sexe. Odette se laissait faire, comme absente devant la charge érotique de cette préparation. Je m'aperçus que la jeune femme, imperceptiblement, commençait à s'émouvoir, des fines perles de sueur apparurent à la commissure de ses lèvres et un frémissement parcourut ses jambes qu'elle avait magnifiques.

La soubrette lui passa enfin une toge de lin blanc et ceignit le corps nu que l'on découvrait sous le tissu retenu par une fine cordelette de soie serrée à la taille. La soubrette lui remit enfin son verre de champagne. Odette trempa à peine ses lèvres dans le nectar; elle frémit sous les mains de la servante qui lui passa un doigt de parfum entre les seins et, avec une délicatesse infinie, entre les fesses, s'arrêtant à peine à l'entrée du sexe et de la rose de la jeune femme. Puis la soubrette trempa son index dans une pommade translucide et enfonça d'un coup sec son doigt dans l'anus d'Odette qui poussa un petit cri. Une fois ce rituel accompli, la servante s'assura que la jeune femme était prête, ouvrit la porte et poussa doucement Odette dans l'immense salon.

C'était à mon tour. La petite séance avec Odette ne m'avait pas laissée indifférente et je sentis que je mouillais. La soubrette sortit du sac Vuitton une longue tunique noire, translucide, aux fils d'argent discrets qui permettaient d'imaginer le corps nu que la tunique était censée habiller. La jeune servante connaissait son affaire, je fus déshabillée en un tour de main. Ne portant ni culotte ni soutien-gorge, la tâche était aisée. Elle n'avait qu'à faire sauter le clip qui retenait mon porte-jarretelles et à enlever mes bas. Elle me farda comme elle l'avait fait pour Odette, laissa une traînée d'un parfum violent entre mes seins, en déposa un soupçon derrière chaque oreille et traça la fente de mes fesses de son doigt humide. Puis elle me fit asseoir sur un pouf, replongea dans le sac vert et en ressortit un *choker* de cuir noir serti de diamants et muni d'une boucle d'acier. Encore un coup d'Aurèle qui voulait que ce soir je joue le rôle de l'esclave soumise.

La soubrette ajusta le collier, vissa la fermeture et s'assura que je n'étais pas au bord de l'étranglement. Puis elle procéda de la même façon que pour Odette, enfonçant dans mes fesses son doigt onctueux. Elle outrepassa ses fonctions en enfonçant deux doigts dans ma chatte mouillée et je ne pus réprimer un frisson voluptueux qui combla d'aise la jeune servante. Elle m'essuya et passa une huile d'amande douce sur ma chatte glabre et me sourit. Elle m'aida ensuite à enfiler ma tunique, en serra le cordon de soie, attacha à l'anneau de mon collier une laisse de cuir fin et gentiment, une fois la porte ouverte, me poussa dans le salon. Je me sentis alors plus nue et plus vulnérable que si je m'étais promenée dans le plus simple appareil sur une plage du sud de la France.

Aurèle me regarda, s'approcha pour mieux saisir l'attache de cuir. Sans avertissement, il cingla mes fesses avec le bout libre de la laisse puis traita mes seins de même. J'eus un mouvement de révolte que je réprimai vite de peur de m'attirer d'autres coups. Aurèle était dans un état second, très excité, il bandait ostensiblement. Puis il tendit la laisse à Odette qui méchamment tira d'un coup sec la mince bande de cuir. Je ressentis le coup dans ma nuque que je raidis sous le choc. Aurèle et Julien se dirigeaient vers la porte.

— Allons voir ce qui se passe en bas, lança Aurèle en prenant Julien par les épaules. Odette suivit, me tenant en laisse comme un animal de compagnie. Furieuse, j'avais envie de me transformer en tigresse et de mettre Odette en charpie. Je savais cependant qu'Aurèle avait plusieurs cordes à son arc et qu'Odette, maintenant triomphante, pourrait fort bien se retrouver dans mes griffes un peu plus tard. Nous descendîmes le long escalier de pierre et un majordome nous ouvrit la porte du grand salon.

La pièce, immense, ruisselait de lumière venant des nombreux et magnifiques lustres de cristal qui pendaient au plafond, sans compter les chandeliers posés entre les miroirs qui ornaient la place. Tous les hommes étaient en habit, certains même portaient la queue de pie un peu désuète des soirées des années 1920. Les femmes, toutes superbes, racées, presque nues selon la volonté de leurs amants, une coupe à la main, déambulaient, allant d'un groupe à l'autre. Les hommes essayaient tant bien que mal de cacher leur émoi en parlant de voitures, de chasse et... de femmes ! Notre entrée fut remarquée, le blanc et le noir de nos robes attirant les regards, une femme magnifique tenant en laisse une autre femme ne laissant personne indifférent. Aurèle et Julien contemplaient le spectacle, satisfaits de l'effet produit.

Je ne me sentais nullement mal à l'aise. Déjà j'avais connu des soirées semblables à celles de Valcroze au bras d'Aurèle et mon *ego* était assez flatté de constater que je comptais encore parmi les plus belles femmes de Paris et, indubitablement, parmi les plus garces et perverses. Je me trouvai tout à coup face à la marquise de V. que l'on dit l'une des femmes les plus élégantes de Paris, habillée par Gaulthier pour l'occasion. Indécente jusqu'à la provocation et grande amoureuse de jolies créatures, ayant décidé une fois pour toutes que les hommes étaient incapables de lui donner un plaisir durable, elle était accompagnée de son amante du moment, une brune à la peau mate habillée à la garçonne qui signait ses œuvres chez un éditeur qui fut, peu de temps hélas, son faire-valoir.

La marquise m'attira à elle, me caressa du regard et de ses mains fines puis lança comme à son habitude la remarque la plus assassine de la soirée :

— Vraiment, chère Christine, Aurèle commence à manquer de goût, voilà qu'il vous confie à une roulure sans classe et qui, pire encore, s'est entichée de notre pauvre Julien.

Tout le monde put entendre la réflexion de la marquise et pouffa de rire. Je relançai la donne :

— Mais, chère Antoinette, il ne tient qu'à vous que cette laisse changeât de main...

Les rires se firent encore plus denses. Aurèle, qui avait tout entendu, était vert tout comme le pauvre Julien, dépassé par l'injure faite à sa bien-aimée du moment. La marquise prit la laisse des mains d'Odette, folle de rage et interloquée, et lança à la cantonade :

— Voyez-vous, cher Aurèle, la littérature n'arrivera jamais à rejoindre l'aristocratie, Balzac aurait au moins dû vous apprendre cela... Maintenant mes chers, amusons-nous ! Vous venez, Valcroze ?

La marquise prit le bras du comte de Valcroze et de son autre main, elle me fit gentiment signe de suivre le cortège qui se dirigeait vers d'immenses portes à l'autre bout du salon. Tournant la tête, j'observai Aurèle, rouge de confusion, qui suivait docilement le cortège tandis que la pauvre Odette, au bras de Julien, était blanche de rage devant l'insulte subie.

Le majordome ouvrit la porte à deux battants et tous les invités, à la suite de la marquise et du comte, pénétrèrent dans un immense salon illuminé par une fontaine de champagne et parsemé de fauteuils de velours rouge, de tous les styles et de toutes les formes, allant du *love seat* anglais à la récamière, des immenses canapés aux étranges sièges appelés «selles françaises» dont la destination libertine était des plus patentes. Au balcon, cachés par un paravent chinois, des musiciens entamèrent un concert en jouant une musique de film suggestive. Je reconnus l'air fameux du *Parrain* puis l'incontournable «Je t'aime moi non plus» de Gainsbourg. Mais désormais la musique importait peu, des couples se formaient, à deux, à trois ou à quatre, dansaient lascivement les uns contre les autres, les mains baladeuses, et bientôt l'on ne sut plus si les caresses étaient féminines ou masculines. Les lumières se firent de plus en plus discrètes et finalement, seule la fontaine de champagne éclaira l'immense salon.

Les mains devenaient plus pressantes, plus exigeantes, les lèvres se touchaient, des baisers s'échangeaient, des langues mouillaient les lèvres et s'introduisaient dans des bouches accueillantes. Je sentis une main chercher la faille de ma tunique, trouver la peau de ma cuisse et délicieusement remonter vers l'entrejambe. Elle hésita à l'approche de mon mont de Vénus, fut surprise de me trouver lisse mais poursuivit jusqu'à la lisière de mes grandes lèvres. Un doigt de cette main se déplia, fut détrempé par mon nectar, glissa jusqu'à ma fente et s'introduisit sans peine dans ma vulve qui n'attendait que cela. La marquise me tenant par la taille, il m'était impossible de me retourner et d'identifier le propriétaire de cette main baladeuse. La sensation était sublime et la conversation entretenue avec Antoinette en fut légèrement altérée au point que la marquise s'aperçut de mon plaisir et me serra la taille de plus en plus fort, comme pour faire partie de la jouissance qui m'enlevait. Antoinette saisit ma main et l'introduisit sous les épais plis de mousseline de sa fausse jupe de ballerine qui cachait fort peu ses magnifiques jambes. Mes doigts, conduits par sa main experte, atteignirent sa chatte douce et elle plaqua ma main contre son sexe en écartant un peu les jambes. Elle était tellement mouillée que le seul mouvement de mes doigts pouvait déclencher un orgasme fulgurant. C'est ce que je fis et Antoinette, perdant presque totalement le contrôle d'elle-même, s'affala dans une récamière en poussant un cri rauque.

La laisse m'obligea à suivre le mouvement et la main délicieuse me quitta. Je fus en quelque sorte précipitée sur la récamière à la suite d'Antoinette qui, dans le mouvement, écarta ses jambes et la mousseline qui suivit pour exposer à tous un sexe rouge et tumescent. À genoux, j'avais devant mes yeux cette fente fascinante et je ne pus m'empêcher d'y poser un baiser, suivi d'un autre où ma langue ne chercha plus, avide, qu'à lécher et à s'introduire dans le vagin magnifique d'Antoinette. Cette dernière, revenue de ses émois, envoya Valcroze à la recherche d'Odette. Je me relevai pour suivre des yeux le comte et m'assis au bord de la récamière afin de suivre la suite des événements. Je vis Valcroze aborder Julien et Aurèle, prendre la main d'Odette et la soustraire aux deux hommes. Je vis les yeux un peu affolés de Julien qui ne s'attendait pas à perdre son amante aux mains du maître des lieux à qui l'on ne pouvait évidemment rien refuser.

Aurèle entraîna Julien vers d'autres plaisirs et Valcroze s'approcha de la marquise, tenant toujours Odette par la main. Cette dernière, les yeux pleins de rage, n'avait pas encore digéré l'affront que lui avait infligé Antoinette. À ce moment, je la trouvai très belle, avec ses cheveux noir jais, ses yeux en amande, ses longs cils et sa bouche vermeille, bien dessinée, pulpeuse, encadrée par des pommettes haut placées lui donnant un petit air slave. Je détaillai pour la première fois son corps, ses longues jambes mates, sa taille fine donnant une ampleur peu commune à ses hanches en amphore. Deux seins magnifiques, aux mamelons turgescents, complétaient la vision de celle que l'on pouvait considérer comme une très belle femme.

Malgré cela, Odette trahissait ses origines par ses postures, ses manières gouailleuses et ses gestes brusques qui n'avaient pas le poli d'une éducation au maintien parfait. Odette sentait la rue et le soufre, le dur apprentissage des règles d'une société qui la méprisait, bien qu'elle ait été sublimée en raison de sa beauté. Odette ne respirait pas la féminité, on sentait quelque chose de plus provocant et de plus sauvage dans ses gestes et ses attitudes. En deux mots, elle fascinait. Je m'attendais à ce qu'Antoinette la traite avec sa condescendance habituelle. Étonnamment, la marquise de V. avait rentré ses griffes et pris la main de la jeune femme pour l'attirer à elle. Odette se pencha, ses seins quittèrent la toge qui les cachait à peine et, chose incroyable, la marquise baisa délicatement la main de la jeune femme en s'excusant de ses paroles blessantes. Odette, imperturbable, accepta les excuses. Antoinette, tout en portant ses longues mains sur la poitrine de la jeune femme et en la caressant plus intimement, me dit :

— Christine, allons faire un tour, il nous faut montrer à notre jeune amie toutes les ressources du château...

Elle défit le mousqueton de la laisse et je devins de nouveau libre de mes mouvements.

— Je vais dire deux mots à Aurèle, t'attacher ainsi est du plus mauvais goût.

Antoinette nous prit par la main, puis nous serrant toutes deux par la taille, elle nous conduisit par une petite porte dérobée dans les méandres du château de Valcroze.

Le salon des philosophes

Après une enfilade de couloirs, la marquise ouvrit une porte et une odeur âcre et insidieuse nous prit soudain à la gorge. Odette appuya instinctivement tout son corps contre moi, sa hanche contre mon sexe et ses seins à la recherche des miens. À travers la fumée, une fois habituées à l'obscurité ambiante, nous distinguâmes des formes allongées sur des lits de bambou. Beaucoup d'hommes, certains à demi nus, fumaient des pipes d'opium. Le grésillement de la pâte dans les pipes, les volutes de fumée qui s'échappaient du nez des fumeurs, une musique asiatique qui jouait en sourdine, nous découvrions ainsi avec stupeur ce qu'Antoinette appelait le *salon des philosophes*. Peu de femmes fumaient, seules quelques jeunes Eurasiennes, très belles, remplissaient les pipes et les verres d'eau tout en prodiguant des caresses souvent érotiques et appréciées des fumeurs perdus dans leur nirvana.

Antoinette s'approcha d'un fumeur nu comme un ver. Son sexe, bandé, aux veines apparentes, était masturbé avec soin par une jeune Asiatique. De temps à autre, elle se penchait sur le membre violacé, le prenait dans sa bouche dans une longue succion. La jeune fille s'appliquait méthodiquement à tenir le fumeur dans un état à la limite de la jouissance, ce dernier exhalant une bouffée de fumée chaque fois que son membre atteignait le fond de la gorge de la suceuse. Ce spectacle à l'érotisme brûlant atteignait presque une forme trouble d'esthétisme. Mes yeux, maintenant habitués à la pénombre, reconnurent soudain le fumeur nu. C'était un ministre du gouvernement, ancien baroudeur longtemps perdu dans la jungle politique vietnamienne et qui avait refait surface aux côtés du président à la rose. Antoinette le salua, lui sourit, mais le fumeur perdu dans ses songes lui répondit à peine.

La marquise me montra le long objet érectile et m'ordonna tendrement de remplacer la jeune Asiatique. Cette dernière se releva, tenant toujours dans ses petites mains le phallus. Je m'agenouillai et elle me présenta le monstre. J'eus quelque peine à le prendre en bouche, car sa rigidité était telle que j'eus l'impression d'embrasser une barre de fer. J'étais fascinée par la taille de ce pénis dont le méat béant laissait échapper quelques gouttes d'un liquide transparent. Puis, l'excitation montant, je me mis à le sucer furieusement en espérant que cet objet magnifique allait finalement me livrer son sperme, que je m'apprêtais à déguster. Mais l'objet se refusait obstinément à inonder ma bouche. Chacun de mes mouvements semblait retarder le moment fatidique et prolonger l'extase du fumeur. Son ventre était couvert de perles de sueur, son regard perdu regardait l'autre face du monde. Décontenancée, je m'arrêtai et lançai un regard interrogateur vers la marquise.

Elle poussa alors Odette vers le lit, laquelle s'agenouilla près de moi et, comme l'avait fait la jeune Asiatique, j'approchai le monstre turgescent de ses lèvres. Odette suça le membre avec une ardeur qui me laissa pantoise. Personne, aucun homme n'aurait pu résister à une pipe aussi violente. Je me collai contre Odette, relevai sa toge et la pris entre les fesses, mes doigts cherchant son antre pour la pénétrer. Elle se mit à gémir entre les coups de langue administrés au fumeur et mes doigts inquisiteurs, mais rien ne venait. Seules quelques gouttes surgissaient du membre fantastique. Odette eut un violent orgasme et nous abandonnâmes le phallus à son sort.

La jeune Asiatique le reprit immédiatement dans ses mains, le malaxant doucement. Antoinette nous avoua que souvent un fumeur ne pouvait véritablement jouir, l'opium ne faisant que prolonger son extase au-delà du réel. Elle ajouta, amusée, que le cher ministre pourrait peut-être finalement jouir dans sa voiture lorsque son chauffeur le ramènerait à Paris...

La marquise devenait singulièrement émoustillée par l'air ambiant saturé d'opium et le spectacle de la fumerie. Elle nous emmena, nous tenant toujours par la taille, vers un homme ceint d'une toge accroupi à l'indienne sur son lit de bambou tressé. Le regard fixe, les yeux exorbités et brillants, il pérorait seul, sans que personne ne l'écoute vraiment. La marquise s'approcha, lui mit la main devant les yeux qu'il leva vers elle. Il la reconnut et esquissa un sourire sur son visage parcheminé.

— Belle marquise, vous voilà revenue dans cet antre phallique où les femmes ne peuvent être que victimes ou tortionnaires... Quelle torture allez-vous m'infliger ce soir ? Celle de vous contempler platoniquement ou celle de recevoir les coups que je mérite ? dit l'homme en lui tendant un martinet aux lanières de cuir.

— Ni l'un ni l'autre, mon cher... ne trouvez-vous donc pas qu'être académicien est une assez grande torture pour vous, débauché comme vous l'êtes ? Ce n'est certainement pas sous la Coupole, mon cher, que vous trouverez la délicate chair fraîche que vous dégustez habituellement ! fit la marquise.

L'académicien répondit alors à Antoinette en citant un vers de Rimbaud :

— Ô cruelle, ô adorée, ô sublime, ne goûterais-je donc jamais les plaisirs de votre chair ?

La marquise rit et s'éloigna, nous entraînant à sa suite.

— Que voulez-vous voir maintenant ? fit-elle. Voulez-vous encore, mes deux chéries, être voyeuses ou voulez-vous déjà me consumer ?

Odette rigola. J'aimais son rire un peu rauque et vulgaire.

— Je ne vous sens pas encore vraiment prêtes, allons nous amuser, lança la marquise en nous enlaçant. Sa main aux doigts précis prit mon sein et en pinça le mamelon, puis descendit jusqu'à ma hanche pour me pousser en avant. Elle ouvrit une autre porte.

— Vous avez vu les philosophes, dit-elle. Maintenant, voyons les anges bleus...

La salle suivante comprenait en son milieu une immense piscine, entourée d'un déambulatoire de tuiles vernissées donnant à l'endroit l'allure d'un hammam stambouliote au temps de l'Empire ottoman.

Les anges bleus étaient essentiellement constitués d'hommes de tous âges que les femmes laissaient de glace, plus attirés par les charmes masculins, surtout s'ils étaient longs et fermes, et par les pratiques de la Grèce antique. Les éphèbes, jeunes gens encore presque imberbes mais fort attirants par certaines parties de leur anatomie, déambulaient avec langueur le long de la piscine fumante en se déhanchant comme des mannequins de haute couture ; la plupart étaient nus, certains étaient drapés savamment dans un drap de lin qui les mettait en valeur. Leurs attributs masculins étaient loin d'être timides et j'aperçus quelques spécimens de virilité qui auraient certainement fait mon bonheur. Des hommes, dans leur maturité tranquille, détaillaient les éphèbes qui posaient comme à un défilé de mode, plus attirés par un pan de linge indiscret laissant voir des culs sublimes ou une verge transcendante.

Je sentis Odette particulièrement excitée par la vision de tous ces corps nus qui, sans pudeur, dévoilaient leurs attraits comme un étalage de marché provençal. Elle demanda à Antoinette si elle pouvait toucher. Celle-ci répondit, amusée :

— Mais posez-leur donc la question...

Odette s'avança vers un jeune éphèbe et lui demanda si elle pouvait soupeser ses trésors. Ce dernier, prenant la pose d'un Apollon antique, avança le ventre, faisant ressortir sa verge longue et bandée. Odette s'approcha, lui prit les couilles de ses deux mains comme on prend un oiseau blessé, puis délicatement toucha la verge dure qui pointait vers le ciel. Elle se risqua à un va-et-vient de sa main qui dégagea complètement le prépuce et laissa surgir un gland rond, rosé et délectable. Des hommes s'approchèrent, regardant avec envie le manège de la main d'Odette ; un très bel homme, les cheveux bouclés, le teint bronzé, la peau glabre, posa ses mains sur les hanches du jeune homme qu'il obligea à se pencher pendant qu'Odette, agenouillée, prenait le membre viril en bouche et commençait une succion savante. L'homme caressa sa verge déjà tendue entre les fesses de l'éphèbe, puis d'un seul coup de reins l'empala, forçant le chemin qu'il préférait au mien, se reprenant encore pour pénétrer plus profondément les fesses du bel éphèbe. Odette en fut encore plus excitée et s'agita comme une forcenée, la langue collant le membre contre son palais à chaque coup de boutoir ressenti par le jeune homme.

Antoinette en profita pour fouiller ma vulve, ses doigts agiles et nerveux pénétrant mon intimité déjà fort mouillée et gonflée de désir. Je répliquai en la tenant par les fesses d'une main, mon index cherchant à violer le passage de sa rosette qu'elle avait déjà humide. De ma main gauche je l'attirai vers moi de façon à ce qu'elle ne rate rien du spectacle initié par Odette et lui pris un sein. Elle trembla sous la pression de mes doigts et mon index s'introduisit comme par miracle, d'un seul coup, dans sa rosette relâchée. Elle s'accrocha à moi d'une main, collant son corps moite contre le mien. Odette, les yeux exorbités, prit le sexe dans ses deux mains et l'éloigna de sa bouche grande ouverte au moment où, sous un dernier coup de boutoir, l'éphèbe jouit, lâchant un torrent de nectar qui gicla de son membre jusqu'au fond de la gorge d'Odette, pendant que l'enculeur prenait son plaisir entre les fesses du jeune homme.

Odette gémit, un homme lui tendit un linge, elle s'essuya la bouche, encore sous le coup d'une intense émotion. Antoinette s'accrocha à moi, je constatai qu'elle aussi jouissait et que son entrejambe était délicieusement trempé, ce que mes doigts ressentirent avec envie. Je fus la seule à ne pas avoir joui de ce spectacle. J'avais certainement connu une grande excitation à la vue de cette séance érotique, mais elle ne m'avait pas permis d'atteindre l'orgasme divin qui s'était arrêté à mi-course, faute d'avoir moi aussi une bonne verge dure et gonflée dans mon ventre.

L'épisode érotique d'Odette qui s'était maintenant relevée et qui avait plongé dans la piscine pour enlever toute trace de sa séance de fellation avait déclenché une véritable frénésie chez les hôtes du hammam. Les corps se cherchaient et se trouvaient dans les positions les plus inusitées dans un dévergondage total qui me laissa froide. Les jeux homosexuels masculins m'avaient toujours rebutée par leur côté brutal et sans tendresse.

Je pris mes deux compagnes par la main et nous sortîmes de cet antre presque bestial. L'expérience que je venais de vivre nécessitait une pose de douceur et de tendresse. Du reste, je n'avais jamais conçu ma sexualité sans amour et sans tendresse, même dans mes expériences les plus folles et les plus érotiques. Après m'être repérée dans ce château aux mille recoins, j'entraînai mes deux compagnes à l'orangerie, où nous nous étendîmes sur de confortables lits de repos parmi des bouquets de fleurs aux senteurs mystérieuses et ineffables. Un laquais noir en habit à la française vint nous proposer des rafraîchissements, nous l'accueillîmes avec enthousiasme. La nuit était fort avancée et ce repos nous permit de continuer nos divagations que je trouvais jusque-là très peu amoureuses. La marquise s'était étendue à côté d'Odette et bientôt les deux femmes en vinrent à des caresses plus précises, les seins roulant les uns sur les autres, les cuisses s'entremêlant, mais ce spectacle me laissait sur ma faim. Il me fallait une activité plus satisfaisante pour mes sens aiguisés par des plaisirs qui n'étaient pas les miens. Vulgairement parlant, j'avais besoin d'une bonne bite, sinon deux, pour qu'enfin mes fantasmes se concrétisent. Je laissai donc mes compagnes entremêler leurs sexes et je quittai l'orangerie, toujours drapée de ma seule toge noire.

Le sauna du roi de Suède

Aurèle m'avait souvent parlé du château de Valcroze et en particulier d'un couloir du sous-sol qui menait à un sauna somptueux. Le père du présent comte l'avait fait construire en l'honneur d'un roi de Suède qui séjourna de longs mois à Valcroze afin de se remettre d'une bronchite insidieuse. Le médecin du roi avait fait valoir les atouts d'un sauna pour le bien de son royal client afin que les bienfaits de la thérapeutique nordique continuent à agir sur le convalescent.

Ce merveilleux sauna alliait la technologie suédoise au charme romantique d'une construction très Art déco. Je m'y dirigeai donc d'un pas alerte. Une fois la porte principale franchie, on pouvait tourner à gauche, franchir une seconde porte de verre et se retrouver sur les bancs de pin de Colombie presque brûlants pour rejoindre d'éventuels compagnons de sudation qui s'offraient, nus sur leur serviette blanche, aux bienfaits de la chaleur sèche. Ou alors, en tournant à droite, on pénétrait dans un hammam embué recouvert de tuiles vernissées d'une blancheur immaculée. Un banc de céramique faisait le tour du bain turc, entourant un étroit lit de tuiles blanches où l'on pouvait s'étendre et laisser libre cours à tous les fantasmes qui auraient pu nous assaillir à ce moment précis.

J'optai pour le sauna, poussai la porte et m'installai sur la banquette du haut, surplombant ainsi une très jolie fille étendue sur la banquette inférieure qui était pilonnée avec ardeur par un homme chauve ressemblant à s'y méprendre à Picasso. La jeune fille encourageait son amant par des mots crus. Je m'installai, allongée, la tête reposant sur mon coude droit, fascinée par le spectacle qui s'offrait à ma vue. Je sentis tout à coup une main remonter ma cuisse et envahir le siège de mon plaisir. La main était douce, les doigts insistants, avides de découvrir mon antre. J'ouvris imperceptiblement mes cuisses pour faciliter l'approche de mes grandes lèvres qui déjà réagissaient au plaisir. Je sentis deux doigts pénétrer ma vulve, suivis d'un troisième qui partit à l'aventure auprès de ma rose abondamment lubrifiée. L'insertion fut facile, la main était habile. Puis je sentis une autre main à la recherche de mes seins. Je ne voulais rien perdre de la scène qui se passait en contrebas ; aussi, je me mis sur le côté, relevant ma jambe gauche en équerre, ce qui facilita encore davantage le passage des doigts inconnus.

Absorbée par la vision de cette jeune fille maintenant empalée sur le membre jouissif, je ne remarquai pas les manœuvres d'approche d'un autre mâle qui bientôt propulsa un phallus raide et magnifique juste devant ma bouche. Il ne me fallait que quelques centimètres pour m'approcher de la tentation, mouvement que ma bouche fit instinctivement. Le gland buta contre mes lèvres, ma bouche s'ouvrit à peine, laissant passer ma langue qui parcourut les contours sinueux de l'instrument de mon désir. J'ouvris un peu plus, le gland s'introduisit comme par magie, mes lèvres se refermèrent et du bout de la langue, je titillai le méat, cette infime ouverture, porte de mes plaisirs. J'étais investie, les doigts se retirèrent de mon antre pour être remplacés par une verge longue et épaisse qui vint s'insérer lentement dans ma vulve boursouflée par le désir.

Finalement, cette nuit m'apporterait l'extase de la jouissance qui m'avait été refusée depuis le début de la soirée. Je sentais monter mon plaisir comme une vague de fond qui allait bientôt me submerger, je sentais les verges roides qui s'emparaient de moi, durcir encore dans mon ventre et dans ma bouche. J'attendais avec impatience le déferlement magique et les secousses de mon orgasme qui montait à l'assaut de tout mon corps et en même temps, j'essayais de retarder le moment fatidique comme pour jouir plus fort et plus longtemps. De fait, la montée du plaisir faisait partie de cet orgasme qui m'assaillait sans que je puisse l'arrêter, le point de non-retour était franchi, j'allais exploser. Et tout arriva subitement, mes deux mâles jouirent en même temps, l'un m'inonda la bouche, l'autre le sexe et je m'envolai dans les sursauts de l'extase, mon corps incontrôlable, agité de spasmes semblables à des tremblements de terre. Incapable de résister, j'émis un long cri de jouissance.

Plusieurs minutes plus tard, revenue sur terre, je me précipitai aux douches pour de longues ablutions qui allaient me permettre de reprendre mes esprits. Je relevai la tête et à travers le ruissellement de l'eau, je vis Aurèle, accompagné d'une superbe Noire aux jambes de gazelle, entrer dans le hammam. Je n'étais pas pour le laisser faire et prendre son pied, seul avec une pareille créature. Je pris une serviette chaude et après m'être sommairement essuyée, je poussai à mon tour la porte du hammam.

Ce qui se passa par la suite est une autre histoire...

Un voyage de rêve au pays des mille et une nuits

En lisant les pages de ce récit, vous avez certainement dû penser que la seule chose qui m'intéresse dans ma vie de jeune femme est celle qui se rapporte à mon sexe. Vous n'avez certes pas complètement tort, mais les lignes qui suivent vont peut-être vous prouver que d'autres centres d'intérêt peuvent aussi occuper mes loisirs.

Avant le voyage que je suis sur le point de vous décrire, j'avais toujours pensé que le monde musulman était rempli d'hypocrites qui n'avaient qu'un désir, celui de cacher leurs femmes sous des voiles afin de les empêcher de séduire d'autres hommes que leur mari. J'avais l'impression que dès que la jeune musulmane atteignait sa puberté, elle était retirée de la circulation par ses parents et qu'après de longues tractations commerciales ou politiques, la jeune fille était mariée au plus vite, le plus souvent contre son gré.

Un ami bijoutier et orfèvre de la bonne ville de Genève m'invita un jour à l'accompagner lors d'un voyage d'affaires au cours duquel il allait présenter sa nouvelle collection de bijoux à un émir de la principauté d'Oman ainsi qu'aux femmes de son harem. Je n'étais jamais allée dans la péninsule arabique et comme le voyage était grassement rémunéré par le bijoutier en question, ma décision fut prise en un instant. Dans l'avion de Swissair qui nous conduisait à Dubaï, mon employeur me donna quelques conseils rudimentaires afin de faciliter mon travail une fois sur place. Il m'apprit qu'il resterait auprès de l'émir à boire du thé brûlant et à manger des loukoums pendant que je présenterais les bijoux aux nombreuses épouses et favorites du harem de l'émir, puisque seule une femme pouvait être autorisée à pénétrer dans leurs quartiers réservés. C'était à moi de montrer les bijoux, de les mettre en valeur et de séduire les acheteuses potentielles pendant que mon ami bijoutier concluait ses ventes avec l'émir et monnayait mon travail. J'allais découvrir au fil des heures qui suivirent tout ce que ce travail comportait d'inattendu et de découverte.

Le service de Swissair aux passagers de première classe ne laissait rien à désirer, à part la moyenne d'âge des hôtesses, toutes plus proches de la retraite que de la prime jeunesse alléchante. La seule chose qui m'était absolument intolérable était la voix du maître de cabine lorsqu'il faisait ses annonces en dialecte suisse-allemand. Je ne comprendrai décidément jamais ce dialecte si peu élégant. Les cinq heures de vol passèrent très vite, entrecoupées d'un copieux repas accompagné d'un bon vin. Déjà l'appareil entamait sa descente vers l'aéroport de Dubaï. Le ciel rougeoyait des derniers rayons du soleil couchant et lorsque nous nous posâmes, je découvris les installations aéroportuaires illuminées qui se détachaient du ciel couleur d'encre. Une fois les formalités douanières effectuées, nous nous dirigeâmes vers la sortie où nous attendait le chauffeur de l'émir. Ce dernier nous avait dépêché un chauffeur sikh enturbanné qui prit nos bagages, à l'exception des deux mallettes de bijoux solidement fixées au poignet de mon joaillier par une chaînette d'acier. La voiture était assortie au chauffeur, une magnifique Rolls Royce Silver Wraith des années 1950, noire et jaune *custard*, qui semblait sortie tout droit d'un musée de l'automobile.

Nous nous installâmes dans les profondes banquettes recouvertes d'un inimitable tissu de poil de chameau d'une douceur incomparable au toucher. Charles, mon ami le bijoutier, ses deux mallettes toujours enchaînées à ses poignets, avait une mimique compassée qui déclencha chez moi un fou rire inextinguible. Jamais je n'avais rencontré quelqu'un d'aussi sérieux et je lui en fis la remarque. Il se détendit quelque peu et le reste du voyage vers Mascate fut agréable. L'autoroute à deux voies longeait le désert de plus en plus minéral, le sable cédant sa place à des bancs de rochers sans aucune trace de végétation. Tout à coup, au détour de la route, la baie de Mascate se découvrit à mes yeux émerveillés, toutes les lumières de la ville se reflétant dans les eaux calmes où quelques boutres et *zarigs*[1] locaux étaient ancrés, accompagnés de yachts somptueux.

---

1. Voiliers arabes gréés pour la course.

La voiture ralentit et s'arrêta devant une porte cochère d'un autre âge, seule entrée le long d'un immense mur recouvert d'un crépi rouge. Les deux battants de la porte s'ouvrirent, la voiture pénétra dans une cour agrémentée de palmiers géants et au milieu de laquelle une fontaine de mosaïque glougloutait.

Le chauffeur s'empressa de nous ouvrir la portière, une nuée de serviteurs nous accueillirent et mon ami fut pris en charge par des hommes tout de blanc vêtus. Une très jolie Asiatique, probablement indonésienne, m'invita à la suivre, deux malabars prenant mes bagages comme s'il s'était agi de paquets d'allumettes. J'appris le lendemain que les deux hommes étaient des eunuques au service du harem de l'émir ; leur rôle était de s'assurer que nul autre homme ne puisse approcher les appartements interdits.

Épuisée par le voyage, je ne fis pas attention au dédale par lequel m'emmenait la jolie servante ; je me retrouvai tout à coup dans une magnifique chambre sortie tout droit d'un livre de contes. Un immense lit, entouré d'une moustiquaire de voile très fin, le sol encombré de coussins de soie, les uns énormes, d'autres plus petits et tout aussi soyeux, une commode sur laquelle était déposé un encensoir qui dégageait un parfum subtil où j'identifiai la myrrhe et une pointe de patchouli, mais surtout le parfum de la rose odorante et délicate. La servante me montra la salle de bain, ultramoderne et luxueuse, et commença à défaire mes valises. J'en profitai pour me rafraîchir sous la douche, je n'avais pas fermé l'eau que la petite servante était là, prête à m'essuyer avec d'immenses draps de bain. Elle avait préparé mon lit, je réalisai tout à coup que le palais de l'émir était d'une fraîcheur agréable même si l'on ne pouvait déceler une installation de conditionnement d'air.

Une petite fontaine, modèle réduit de celle ornant la cour d'entrée, remplissait une vasque de mosaïque bleu nuit. L'eau se répandait ensuite dans un joli bassin. La servante me tendit un verre de thé à la menthe brûlant et, après s'être assurée que je ne manquais de rien, s'éclipsa comme une petite souris en me souhaitant bonne nuit dans un anglais parfait.

Je me couchai donc, nue sous les draps de satin blanc, et m'endormis comme une bûche. Le lendemain matin, à l'aurore, je fus réveillée par le cri du coq. Je restai au lit à paresser tout en observant le monde nouveau et fascinant qui m'entourait, les draperies et les tapisseries tendues sur les murs, les tapis de soie recouvrant le sol, les quelques meubles de palissandre et d'ébène, les coussins invitant à se prélasser, tous ces objets dépaysants qui annonçaient l'Orient et l'Arabie. Et que dire de la touche moderne et occidentale, un petit réfrigérateur rempli de boissons sans alcool, une bouteille thermos contenant un thé à la menthe encore fumant. Enfin, j'admirai les multiples assiettes de sucreries, loukoums, pâtes d'amandes, gelées de fruits, gâteaux au miel, posées sur des présentoirs de vermeil.

Le dépaysement était total; je m'approchai de la fenêtre ouvrant sur une cour intérieure. Au-dessus des murs très hauts, je pouvais apercevoir au loin la mer et quelques boutres qui prenaient le large. La fenêtre était disposée de façon à ce que nul regard venant de l'extérieur du palais ne puisse saisir un contour ou un visage féminin. Je me penchai pour découvrir la cour que ma chambre surplombait. De lourds palmiers dattiers cernaient une grande fontaine à la vasque dorée, le sol en mosaïque dessinait de longues arabesques de couleurs vives. Le palais était encore endormi, seul l'air frais du matin en provenance de la mer faisait frissonner les palmes des dattiers qui se balançaient paresseusement.

Je me servis un jus d'orange et décidai de le siroter allongée sur les coussins de soie qui, apparemment, servaient de siège et de lit de repos. J'entendis un rossignol au loin qui chantait à perdre son âme, puis une sirène de bateau ébranla la quiétude matinale. Un chien aboya au loin, les minutes et les heures passèrent dans une douce torpeur. Puis lentement la ville s'éveilla. Le muezzin lança son appel guttural à la prière du matin, les bruits de la ville me parvinrent comme assourdis par les murs du palais. Soudain celui-ci s'anima, des bruits de vaisselle, de bouteilles qui s'entrechoquent, des voix féminines et masculines qui s'interpellent, la vie retrouvait ses besognes quotidiennes sous un ciel que l'on pouvait croire éternellement bleu.

J'entendis le heurtoir frapper à ma porte. Sachant que nul autre qu'une femme ne pénétrerait chez moi, je pris la peine de me couvrir d'un léger voile mais restai presque nue, étendue dans mes coussins. C'était ma petite servante. Je lui demandai comment elle s'appelait. Dans un bon anglais, elle répondit que son nom était Shaadira. En la questionnant un peu, j'appris que son père avait emprunté beaucoup d'argent pour lui permettre de suivre des cours dans une université londonienne. Une fois son diplôme obtenu, elle était retournée à Batan, en Indonésie. Son père la négocia immédiatement avec l'émissaire de l'émir qui était à la recherche de personnel pour le palais. Afin d'effacer la dette de son père, elle avait accepté de passer cinq ans au service de l'émir. Son père lui en fut tellement reconnaissant qu'il la laissa partir avec l'eunuque chargé de conduire la jeune Indonésienne à Mascate. Elle-même trouvait la chose absolument normale de payer de sa personne pour les sacrifices qu'avait consentis son père afin de l'éduquer en Angleterre, une expérience dont elle ne gardait pourtant pas un souvenir impérissable.

Pendant tout ce temps, elle vaquait à ma toilette, m'aidant à prendre un autre bain, mélangeant des huiles subtiles dans mon eau, essuyant mon corps avec de lourdes serviettes, me coiffant, polissant mes ongles, me parfumant, avant de me demander quels habits je désirais enfiler. Un peu décontenancée, je lui demandai ce que je devais mettre puisque je ne connaissais pas les usages du palais. Shaadira éclata de rire. Elle m'expliqua que les femmes de l'émir, épouses ou concubines, s'habillaient comme à Paris. Le « comme à Paris » me surprit et je demandai des explications à la jeune Indonésienne.

— Vous venez pour présenter une collection de bijoux, les couturiers parisiens ou italiens font de même, et les femmes du harem achètent leurs toilettes comme elles achètent leurs produits de beauté et leurs parfums. Quand elles vont en ville, elles revêtent leurs habits traditionnels et se voilent ou alors elles envoient leurs servantes acheter ce dont elles ont besoin.

Shaadira m'expliqua qu'elle était la préférée de la quatrième épouse et de l'une des concubines et que son rôle de servante lui permettait de connaître dans le détail tout ce qui se passait au palais. J'appris ainsi que l'émir était tellement riche que la banque J. P. Morgan de New York avait délégué un de ses employés pour s'occuper à temps plein des affaires bancaires et des investissements de l'émir. Shaadira sortit de la garde-robe une robe soleil qu'elle décréta appropriée pour les activités de la journée. Elle choisit aussi mes sandalettes et un de mes sacs qu'elle entreprit de remplir de rouges à lèvres et de compacts de poudre. Elle choisit aussi la couleur de mon crayon à sourcils et de mon mascara. Elle fouilla dans le tiroir de la commode où elle avait rangé la veille mes sous-vêtements. Intriguée, elle m'interrogea du regard. Je lui dis que non, je ne portais jamais de soutien-gorge. Elle sortit un de mes strings et le regarda, étonnée, ses doigts faisant le tour du minuscule slip.

Elle commença à me maquiller avec une dextérité que je ne connaissais qu'à des visagistes professionnels. J'appris par son babillage incessant que l'émir avait fait venir de Paris à son intention une maquilleuse de chez Dior qui lui avait enseigné l'art du maquillage. Elle recevait tous les mois des instructions de Paris afin que ses maquillages reflètent les dernières tendances. Shaadira était responsable du maquillage de toutes les femmes du harem. Elle me confia aussi qu'elle avait dû apprendre l'art du maquillage traditionnel afin de préparer au henné les dessins particuliers qu'il fallait exécuter sur les mains et le visage des femmes lors des fêtes musulmanes. Elle ouvrit ma robe de chambre et poudra mon cou et ma gorge avec une houppette de cygne puis elle rougit la pointe de mes seins avec la même teinte qu'elle avait appliquée sur mes lèvres.

Je n'avais pas l'habitude de me faire habiller par une servante, du moins cela ne m'était plus arrivé depuis ma tendre enfance alors que la bonne m'habillait de force pour me mener à l'école. Shaadira avait des gestes délicats; elle passa mon string puis ma robe avec un respect proche d'une certaine tendresse. Puis, agenouillée, elle enfila mes sandalettes et attacha les fines lanières.

— Vous allez déjeuner avec la première épouse, fit-elle, et elle m'emmena par la main à travers les dédales des couloirs.

Elle m'appelait Madame, je lui dis que mon prénom était Christine et que désormais elle devait m'appeler ainsi. Elle acquiesça en joignant les mains et en me faisant une courte révérence. Shaadira frappa à une immense porte de bois sombre bardée de ferrures. L'un des eunuques aperçu la veille ouvrit la porte et nous laissa entrer. Il arborait à son ceinturon un énorme cimeterre qui aurait découragé James Bond. Shaadira me conduisit vers un groupe de femmes assises sur d'énormes coussins entre lesquels des tables basses chargées de fruits et de friandises étaient disposées. La jeune servante se prosterna devant une femme au visage de pomme ridée.

Incroyablement petite et maigre, engoncée dans une djellaba traditionnelle de soie pourpre, la première épouse de l'émir me regarda d'un air indifférent. C'était une femme sans âge, usée par les maternités successives; je remarquai ses jambes difformes qui contrastaient avec la maigreur du torse, des bras et du visage. Elle avait des doigts très fins, adornés d'une multitude de très belles bagues dont un diamant et une émeraude qui devaient chacun dépasser les 20 carats. Shaadira me présenta; la pomme plissée se rida encore plus dans ce que je crus être un sourire et, de la main, elle m'assigna un énorme coussin de soie sur lequel je m'assis de la façon la plus décente possible. À la demande de la première épouse, Shaadira me présenta aux autres femmes qui, pour la plupart, jouaient le rôle de suivantes, attentionnées au bien-être de leur maîtresse, puis elle expliqua en arabe que j'étais venue leur présenter des bijoux venant de Genève. Le mot «Genève» sembla magique. L'une des suivantes me confia en mauvais anglais qu'elle était allée une fois à Genève et qu'elle avait gardé un souvenir inoubliable de l'impressionnant jet d'eau qui orne la rade de la célèbre ville suisse. J'avais eu à peine le temps de goûter à quelques fruits d'une saveur merveilleuse que la première épouse nous congédia d'un geste brusque.

Shaadira m'emmena à travers de nouveaux couloirs qui menaient à une porte bardée de fer. Un autre eunuque nous ouvrit et je réalisai que nous venions de sortir du harem. Le palais était plus clair, les murs blancs étaient rehaussés de lambris décorés à la feuille d'or, les fenêtres plus grandes et plus larges laissaient pénétrer l'éclatante lumière et le ciel d'un bleu profond. Shaadira cogna à une porte gardée par deux hommes armés de M-16, la tête recouverte du chèche rouge et blanc des Bédouins. Un serviteur tout de blanc vêtu nous accueillit et nous conduisit au fond de l'immense salon que l'émir utilisait comme salle de conférence et d'audience. Mon bijoutier occupait un fauteuil de bois doré qui faisait face à l'émir. Shaadira me fit asseoir sur un fauteuil placé à la droite de notre hôte. Le joaillier fit les présentations, soulignant mon titre et mon nom de famille afin d'impressionner l'émir, prince du désert et propriétaire de plusieurs milliards de barils de pétrole brut.

J'inclinai la tête après les présentations. L'émir m'adressa la parole dans un anglais plus qu'acceptable. Il était encore fort bel homme, mince et sec, bien pris dans sa djellaba immaculée. Il avait des yeux de jais perçants et sous ce regard qui me dévisageait, je me sentis soudain nue et sans défense. Il m'annonça que je devais prendre les deux mallettes de bijoux et les présenter à ses femmes dans l'ordre de préséance qu'il avait lui-même établi. Il remit une feuille de papier à Shaadira et je compris que cette liste deviendrait au cours des quarante-huit prochaines heures mon ordre du jour. L'émir ajouta que je pouvais avoir toute confiance en Shaadira et qu'elle me traduirait fidèlement les désirs de ses femmes. Puis, comme si tout était déjà décidé, il invita mon bijoutier à une chasse au faucon dans le désert.

Je m'éloignai, suivant ma petite servante indonésienne, et nous retournâmes au harem. Shaadira semblait très absorbée par la lecture de la liste de l'émir. Elle me demanda de m'asseoir près d'elle sur un banc de teck au milieu d'une petite cour intérieure que nous traversions.

— Christine, l'émir a changé l'ordre de la liste !

Shaadira était bouleversée par le nouvel ordre des noms qui y figuraient. La jeune fille m'expliqua que le nouvel ordre de la liste impliquait que certaines des épouses et des concubines étaient tombées en disgrâce ou tout au moins ne s'attiraient plus les faveurs de leur seigneur et maître. De nouveaux noms avaient surgi sur la liste et Shaadira en fut surprise. Elle le fut encore plus lorsqu'elle découvrit son propre nom tout au bas de la liste. Un peu paniquée, elle souligna qu'elle n'était qu'une servante et que jamais elle n'accepterait de figurer parmi les concubines de l'émir.

Je tentai de la rassurer, la pris dans mes bras et essuyai ses larmes en lui faisant remarquer que c'était peut-être là une marque d'appréciation de l'émir pour le travail délicat qu'elle allait faire en ma compagnie. À demi rassurée, elle m'entraîna de nouveau chez la première épouse en m'avertissant de faire attention aux suivantes qui pourraient fort bien tenter de s'approprier une bague sans que l'on s'en aperçoive.

La première épouse était toujours assise sur son coussin ; hiératique, elle n'avait pas modifié sa posture. Les suivantes par contre s'étaient allégées de plusieurs couches de voile et laissaient deviner leur corps sous des tissus diaphanes. L'une d'elles faisait la lecture à sa maîtresse tandis que deux autres s'adonnaient à un marivaudage que notre arrivée interrompit. L'ouverture des mallettes causa tout un remue-ménage. Shaadira, heureusement, m'aida à montrer les bagues et les colliers, pièce après pièce.

Mon bijoutier m'avait exhortée à porter moi-même les plus belles pièces sans que les suivantes puissent s'en approcher. La première épouse se jeta littéralement sur une magnifique bague, un rubis cabochon de la plus belle eau cerné de quatre baguettes de diamants. L'objet était d'importance, la première épouse signifia à Shaadira qu'elle gardait la bague. Je sortis le carnet de reçus que m'avait confié mon bijoutier, notai consciencieusement le numéro de lot de la bague et Shaadira fit signer la première épouse qui enfila la bague à un doigt déjà lourdement chargé d'or et de pierres précieuses. Puis la première épouse choisit une bague pour chacune de ses suivantes qu'elle distribua selon son bon vouloir. Shaadira notait et faisait signer les bénéficiaires. Ce fut là mes premières ventes, j'étais devenue pour quelques heures encore la pourvoyeuse de plaisirs de ces femmes oisives, enfermées à jamais par un homme qui n'avait certainement jamais entendu parler de l'émancipation des femmes et qui régissait les murs de son palais en parfait autocrate.

Épouses après concubines, je commençai à trouver mon nouveau métier fastidieux sinon totalement ennuyeux. Les bijoux excitaient la convoitise de ces femmes, certaines jolies ou qui le furent, d'autres plus vulgaires et faisant partie de ce que j'appelle des bêtes de sexe, toutes vénales, essayant de savoir si l'une des épouses ou des concubines avait été plus avantagée qu'elles dans le choix d'un bijou. La première mallette était déjà presque vide, l'après-midi fort avancé et je mourais de faim et de soif, étant incapable d'avaler un autre verre de thé à la menthe trop sucré. Shaadira m'emmena sur une grande terrasse couverte donnant sur la mer. L'ombre et la brise rendaient l'endroit délicieux. La jeune fille frappa dans ses mains et une servante toute menue fit son apparition. Shaadira demanda que l'on serve à manger.

Quelques minutes plus tard, une cohorte de serviteurs apportaient coussins, plateaux, jus de fruits et victuailles que je découvrais avec émerveillement. Shaadira m'apprit que les cuisiniers étaient tous Pakistanais et que les currys d'agneau et de poulet, accompagnés d'épinards au curcuma, nécessitaient de ma part une modération sous peine d'un incendie qui allait se propager de ma bouche jusqu'au fond de mon estomac. Nous finîmes notre repas avec des tranches d'ananas et des abricots juteux, accompagnés des éternels loukoums doucereux.

Shaadira se rapprocha de moi et, à voix basse, m'informa que nous allions passer l'après-midi, ou du moins ce qu'il en restait, avec la quatrième épouse de l'émir. Shaadira était sa protégée et elle m'avoua que l'émir était absolument fou d'elle. C'était là aussi la raison pour laquelle Shaadira avait été assignée à mon service. La jeune Indonésienne ne tarissait pas d'éloges au sujet de la quatrième épouse qui se nommait Leila. Ce nom me rappelait l'admirable opéra de Bizet, *Les pêcheurs de perles*, qui restait gravé dans ma mémoire après une soirée particulièrement réussie à la salle Garnier.

Je fis donc la connaissance de l'épouse préférée de l'émir. Shaadira me chuchota que je serais frappée par la beauté de la princesse Leila, elle précisa encore que l'émir l'avait choisie lors d'un voyage à Samarcande et qu'elle était une véritable princesse tadjik. L'eunuque de service frappa à la porte de l'appartement de la quatrième épouse et un petit bout de femme, une gamine d'environ quatorze ans, l'air espiègle et rigolard, nous ouvrit la porte à deux battants. Shaadira parla à l'oreille de la gamine qui éclata de rire. Contrairement à Shaadira, elle avait les cheveux presque roux et le teint parsemé de taches de rousseur. Une vraie petite drôlesse. Moitié dansant, moitié sautant, elle nous précéda dans une immense salle claire, illuminée par le reflet du soleil sur les toits environnants s'introduisant entre les colonnes de la véranda attenante à la pièce.

Derrière un amas de coussins de soie, rafraîchie par deux enfants tenant d'énormes éventails de plumes d'autruche, se trouvait la princesse Leila, dans une pose alanguie, presque couchée sur des coussins, recouverte de voiles transparents, avec pour tout vêtement un soutien-gorge et une culotte de lamé doré. Elle me fit signe d'approcher. Je fus surprise par son teint de lait, ses cheveux blond vénitien encadrant un visage de madone italienne. Elle ressemblait à la Vénus sortant de l'onde de Botticelli et j'avais peine à croire que nous étions à Mascate, aux confins de l'Arabie.

Je découvris que Leila parlait un peu l'anglais, avec un accent russe à couper au couteau. Samarcande était sous domination soviétique jusqu'à l'indépendance décrétée par le nouveau gouvernement de l'Ouzbékistan. Leila avait donc probablement été à l'école soviétique au moins quelques années avant de se retrouver mariée et enfermée dans le harem de l'émir. Dolente de nature, elle semblait accepter son sort avec sérénité, préoccupée à obtenir le plus d'avantages possibles de son époux pendant que la jeunesse de son corps lui permettait de détourner à son propre compte les largesses de l'émir. C'était là la règle, et elle semblait assez astucieuse pour tirer son épingle du jeu.

Leila me montra les mallettes, je les ouvris devant la princesse et elle commença à essayer les bijoux, s'émerveillant devant la beauté des pierres et le travail de l'orfèvre. Elle soupesa, regarda, essaya toutes les pièces de la collection. J'avais soigneusement mis de côté les bijoux déjà promis à la première épouse et à ses courtisanes, et j'avais pris soin, comme me l'avait recommandé mon ami bijoutier, de mettre les plus belles pièces sur le dessus de la deuxième mallette, un truc pour écouler les pièces les plus chères auprès des clients les plus importants et garder les pièces mineures pour les plus petits cadeaux. C'était donc cette seconde mallette que Leila était en train de piller joyeusement dans un état d'excitation fébrile. La princesse choisit une bague qu'elle passa au doigt de Shaadira qui regarda son doigt avec stupeur. Puis Leila distribua des bagues aux enfants, à ses servantes et passa même un collier d'or à l'énorme chat persan qui dormait sur un coussin. La bête miaula, exprimant un profond dédain envers celle qui le dérangeait dans son sommeil.

Enfin, elle s'arrêta à contempler les bijoux dont elle voulait se parer. Elle prit un superbe collier d'or et d'émeraudes et le passa dans sa lourde chevelure. Ses cheveux magnifiques étaient maintenant re- levés en un chignon haut qui dégageait admirablement son cou qu'elle avait long et gracile. Puis elle para son bras gauche d'une tor- sade d'or en serpent garnie de cabochons d'émeraudes et son poignet droit de grandes esclaves d'or. Leila me demanda si ce qu'elle avait choisi lui allait bien, j'ajoutai qu'elle devrait mettre à son doigt une bague avec un solitaire imposant et je lui en choisis une. Elle fit non de la tête, et dans son sabir, elle me fit comprendre que seul l'émir avait le droit de lui passer une bague au doigt. Elle me montra son annulaire gauche et je découvris un magnifique saphir cabochon de la grosseur d'une olive de belle taille.

— Cadeau..., fit-elle en laissant sa main dans la mienne.

Pendant ce temps, Shaadira notait avec précision les bijoux choisis et avec précaution, elle refermait les mallettes. Une servante arriva avec l'incontournable théière fumante, et d'autres plats de friandises. Je me dis que si je restais plus de trois jours dans cet antre diabolique, je serais condamnée à une diète sévère dès mon retour en Europe.

— Amusons-nous maintenant, dit Leila en m'assignant de la main quelques gros coussins moelleux.

Je m'étendis, alors que Shaadira, imperturbable, s'installa sur un pouf, les deux mallettes solidement posées sur ses genoux. Leila frappa dans ses mains et deux très jeunes filles s'approchèrent, l'une tenant un sistre dans ses mains, l'autre un instrument ressemblant à une cithare. Les deux musiciennes se mirent à jouer et à chanter avec un filet de voix un air dont le rythme sensuel mit en valeur le corps de Leila, cette dernière se levant pour exécuter une danse langou- reuse mais sans le caractère érotique de la danse du ventre des hé- taïres du Caire. C'était beaucoup plus une complainte amoureuse, un appel au désir et aux baisers. La princesse était magnifique, avec un corps souple, des seins qui semblaient vouloir s'échapper des con- ques du soutien-gorge et un ventre plat qu'habitaient les mouve- ments saccadés de l'amour. Leila souriait, virevoltait au son de la cithare et du sistre agité par la seconde musicienne. J'ai toujours été fascinée par le son des sistres qui ressemble à un chant de milliers de cigales.

La musique cessa, on frappait à la porte. La gamine espiègle courut ouvrir, mais elle demeura figée devant l'apparition de l'émir. Elle se jeta à genoux tandis que l'immense silhouette droite et longiligne du maître des lieux se dirigeait vers nous. Il s'inclina d'abord en direction de Leila, puis il prit ma main et y déposa un baisemain très vieille aristocratie anglaise. Une servante approcha un énorme pouf de cuir rouge et l'émir s'assit. Il claqua des doigts et les deux musiciennes recommencèrent à jouer. Leila reprit sa danse qui devint beaucoup plus sensuelle. Ce n'était plus le langoureux appel du désir, mais bien plutôt l'appel à l'acte d'amour. Le ventre de Leila se déhanchait plus violemment, les seins jaillissaient comme deux pigeons sortant du nid, les pointes fardées d'un rouge carmin tranchant avec la douceur laiteuse de la peau. La danse de la princesse, chargée d'érotisme, soulignait à travers les voiles le corps magnifique de la femme. Shaadira regardait sa maîtresse avec une ferveur mêlée d'envie et d'adoration.

Je n'étais plus insensible au spectacle et je me surpris à envier la belle Leila, imaginant quelle serait l'issue de cette danse sensuelle. J'imaginais l'émir se débarrassant de son sabre et de sa djellaba, et, nu, se précipitant sur Leila qui ne lui refuserait pas son corps et encore moins son antre de miel, excitée par la danse et attendant la pénétration phallique qu'elle avait appelée de tout son corps. L'émir frappa dans ses mains, il demanda à Shaadira de m'emmener, précisant que le dîner serait servi à dix-neuf heures. La gamine nous conduisit à la porte qu'elle referma avec soin. Un eunuque se posta devant cette dernière dès notre sortie alors que Shaadira me reconduisait à ma chambre ; je marchais derrière elle en pensant aux délices que l'émir allait consommer et aux émois qui secouaient le corps de la belle Leila.

De retour dans mes appartements, Shaadira m'aida à faire le compte des bijoux vendus et à en dresser la liste pour mon ami le bijoutier. Puis elle m'assura que je devais prendre un bain pour me rafraîchir et me délasser. Je sentais qu'elle avait envie de me faire plaisir en s'occupant de moi. Debout, je me laissai déshabiller par les mains fines et précises de Shaadira. Pour la première fois elles s'attardèrent un peu plus qu'il ne fallait sur mes seins, puis sur mon ventre. Shaadira m'aida à me couler dans le bain de marbre blanc, j'y respirai le jasmin, la myrrhe, les roses. Shaadira tenait une grosse éponge de toilette et s'apprêtait à me laver le dos. Poussée par l'érotisme de la danse de Leila devant l'émir, excitée par la présence de Shaadira et de ses mains qui avaient tout à l'heure effleuré mes seins, je demandai à la jeune fille de venir me rejoindre dans l'immense baignoire.

Elle se tourna avec pudeur pour se déshabiller, puis elle entra dans le bain et s'assit face à moi, tenant toujours sa grosse éponge dans les mains comme un ultime paravent. Je lui souris, elle répondit par une timide caresse sur ma joue. Je la pris alors contre moi, nos jambes s'insérèrent et presque chastement, nous nous serrâmes l'une contre l'autre en nous embrassant doucement. Elle avait la peau d'une incroyable douceur, et ses petits seins aux bouts noirs et durs frottaient contre les miens. Nous restâmes ainsi de longues minutes, doucement serrées l'une contre l'autre. C'est elle qui tout à coup avança son bassin contre le mien. Shaadira dénoua ses cheveux qui tombèrent comme une lourde masse sur ses épaules fragiles. Puis elle eut un geste incroyable, de ses longs cheveux elle lava et essuya mon corps comme l'aurait fait une vahiné de Gauguin. La sensation de ses cheveux un peu rêches sur ma peau m'électrisa. Devant la chair de poule que me donnaient ses caresses, Shaadira se colla encore plus contre moi. Abandonnant ses cheveux, sa petite main s'introduisit entre nos deux corps et rechercha ma vulve qu'elle commença à caresser doucement. Je me laissai faire...

Le dîner de l'émir

Ma petite sieste relaxante avec Shaadira était malheureusement terminée. La jeune Indonésienne m'avait aidée à me préparer pour le dîner de l'émir. Pour l'occasion j'avais, sur les conseils de Shaadira, opté pour une robe en shantung de soie aux larges bandes colorées et aux longues manches attachées aux poignets. J'étais excessivement décente, sans décolleté ravageur ou bijoux extravagants. Cependant, la robe longue et ajustée que j'avais choisie laissait deviner les contours de mon corps qu'aucun homme n'aurait pu éviter de remarquer. Seuls mes orteils étaient visibles, mes sandalettes de chez Ferragamo disparaissant sous les plis de ma jupe.

Shaadira me conduisit dans les appartements de l'émir. Je rejoignis ainsi mon patron Charles après ma journée de travail. Ce dernier était de très bonne humeur et m'adressa ses félicitations.

— Christine, savez-vous que vous avez vendu à vous toute seule pour plus de un million de dollars de bijoux ? Je savais que je pouvais vous faire confiance, vous devenez ainsi ma meilleure collaboratrice. Il faudra que je vous demande quelle est votre recette ! Encore bravo !

Le bijoutier m'avait promis une commission de dix pour cent ; après un bref calcul, je réalisais que c'était plus de cent mille dollars qui tomberaient dans ma cassette dès mon retour à Genève ! Et le voyage n'était pas encore terminé !

Un serviteur tout de blanc vêtu, un sabre traditionnel à la ceinture, vint nous chercher pour nous conduire dans le salon d'apparat de l'émir. À ma surprise, nous allions au-devant d'un grand dîner officiel auquel l'émir avait convié une bonne cinquantaine de ses amis. L'immense salle illuminée par de magnifiques lustres de Murano était presque nue à l'exception d'une longue table en U cernée de chaises dorées de style Louis XVI. La table était mise à la française : couverts de vermeil, verres en Baccarat, assiettes de Limoges, tout respectait parfaitement les canons de l'esthétisme, sauf peut-être les innombrables bouteilles d'eau minérale, Évian ou San Pellegrino et les pots de cristal remplis de jus d'orange rafraîchis de glaçons.

Les invités de l'émir arrivaient par petits groupes. Chefs de tribus bédouines en costume d'apparat qui remettaient leur cimeterre aux serviteurs et gardaient uniquement à la ceinture le poignard incrusté de nacre ou de pierres précieuses dont ils ne se séparaient jamais, hommes d'affaires en costumes européens, nababs orientaux en costumes indiens aux pantalons étroits et quelques commerçants opulents de Mascate.

Je réalisai tout à coup que j'étais la seule femme présente au dîner de l'émir. Mon rôle d'associée du bijoutier genevois me conférait le privilège de m'asseoir à ce dîner d'hommes. Un majordome impressionnant par sa stature gigantesque commença à placer les invités selon un ordre de préséance très précis. Je me retrouvai donc assise à la droite d'un gentleman anglais qui, je le découvris plus tard, était l'attaché commercial de l'ambassade de Sa Majesté. Mon nouvel associé temporaire dans le monde des bijoux était assis à ma droite et avait repris son air compassé de calviniste genevois. L'émir ne se montrait pas et ce ne fut qu'après que tous les convives eurent pris place et furent assis plus au moins confortablement sur des chaises étroites et trop rembourrées qu'un coup de gong retentissant précipita tout le monde au garde à vous.

L'émir entra, impressionnant dans sa djellaba serrée à la taille par un magnifique ceinturon de cuir où se croisaient deux poignards recourbés aux manches d'or ciselé et sertis de cabochons de rubis. Accompagné de sa garde personnelle, il prit place dans un fauteuil de bois doré qu'un serviteur avait tiré avec empressement. Quelques chefs coutumiers de la tribu bédouine de l'émir se placèrent de chaque côté du maître des lieux qui se conduisait comme un monarque envers ses sujets. Pendant toute cette cérémonie, un silence absolument minéral régnait dans l'immense salle. Les serviteurs, la garde personnelle, les invités, étaient figés comme des statues pendant que l'émir s'installait dans son fauteuil. Le majordome cria dans un anglais guttural :

— Longue vie à notre bien-aimé seigneur, son Excellence l'émir Abdullah Bin El Saud Bin Abdulaziz, protecteur des croyants !

L'assistance applaudit, et à la suite de l'émir, les invités s'assirent et le brouhaha des papotages entre convives reprit le dessus.

Mon voisin de gauche avait entamé une conversation anodine qui nous amena à parler de l'Angleterre, ses jardins, sa gentry et ses courses de chevaux. Le conseiller d'ambassade de Sa Majesté avait le vague à l'âme. L'Arabie heureuse ne l'amusait plus et lui tapait même prodigieusement sur les nerfs. Il est vrai pour un Anglais épris des vertes collines des Cotswold, Mascate pouvait devenir un enfer capable de vous user le système nerveux. Le pauvre homme semblait si content de faire la conversation dans un anglais où l'accent d'Eton pointait au bon endroit que nous nous éternisâmes à parler des méandres de la Tamise à Windsor et des merveilles de la New Forest.

Charles avait entamé une conversation avec un nabab qui lui proposait de lui rendre visite à Chandernagor. Si demain mon bijoutier me demandait de l'accompagner aux Indes, je me promettais bien de refuser. Le souvenir de la campagne anglaise m'attirait, un séjour chez mon amie Maud et sir Richard n'était pas pour me déplaire, surtout si je pouvais y ajouter quelques jours de courses effrénées dans King's Road ou à Kensington.

Le dîner s'éternisait, de plus en plus bruyant. Les convives bédouins, excités par l'abondance de la nourriture, découpaient de larges tranches d'agneau rôti avec leurs poignards, essuyant ces derniers avec leur serviette de table ou tout simplement sur la nappe immaculée. L'émir se leva tout à coup et frappa des mains. Une porte s'ouvrit, des musiciens arabes entrèrent et s'installèrent à même le sol. Une musique aigrelette sortit des flûtes, accompagnée par les tambourins et les violons à trois cordes. Des danseuses apparurent, copies conformes de toutes les danseuses du ventre, du Caire à

Karachi. Elles commencèrent à officier sous les claquements des paumes des chefs bédouins, manifestement les seuls à apprécier à leur juste valeur les contorsions rythmées des danseuses. Elles étaient toutes rondelettes, ce qui, aux yeux des Arabes, est une vertu inconcevable pour nous Occidentaux. Une danseuse semblait remporter tous les suffrages, elle était non seulement bien en chair, mais accusait les vicissitudes de l'âge et du métier. Parmi toutes les danseuses, c'était pourtant elle et ses déhanchements lubriques qui subjuguaient les Bédouins, ces derniers frappant, au rythme envoûtant de la musique, dans leurs mains desséchées par le vent du désert.

Plusieurs invités, en particulier les Européens, commencèrent à quitter la table pour se rassembler dans l'une des extrémités de l'immense salle, les uns fumant cigares et cigarettes, les autres dégustant un vrai moka dans une tasse minuscule. Les Bédouins et l'émir, ensorcelés par la musique et la danse de plus en plus suggestive de la favorite locale, engloutissaient café et friandises sans avoir l'air de se lasser du spectacle offert.

Laissant les chefs de tribus à leur plaisir, l'émir se leva et vint recevoir les compliments et les salutations des invités sur leur départ. À l'exception des Bédouins, il ne resta bientôt dans la salle qu'un des nababs qui me faisait outrageusement les yeux doux, mon bijoutier et moi-même. L'émir nous pria alors de l'attendre dans son salon privé où nous fûmes conduits par un des sbires de sa garde personnelle.

Quelle ne fut pas ma surprise en entrant dans la pièce de retrouver Shaadira et les servantes de Leila qui avaient préparé encore une fois du thé à la menthe et des sucreries sur des plateaux de vermeil posés sur de splendides tables en bois ornées de nacre. La jeune Indonésienne nous fit asseoir sur des coussins en nous promettant que le maître des lieux ne tarderait pas à nous rejoindre. Elle offrit au bijoutier un cigare. Le nabab, lui, s'empara d'un énorme corona qui lui déforma la bouche lorsqu'il essaya de l'allumer. Mon patron à temps partiel choisit un havane de chez Davidoff et les deux hommes engagèrent une typique conversation d'affaires. L'Indien arrivait de Jaipur où il dirigeait une importante fabrique d'ordinateurs et de logiciels et était de passage à Mascate pour tenter d'obtenir de l'émir un gros contrat de fournitures informatiques pour une de ses compagnies pétrolières.

Shaadira, les yeux encore remplis des tendresses que nous nous étions accordées quelques heures auparavant, m'apporta un narguilé. Elle l'alluma puis me présenta le long tube flexible afin que je prenne une bouffée de cette pipe à eau magnifiquement ciselée. La première bouffée m'arracha une furieuse quinte de toux. Shaadira me montra alors comment tirer sur l'embout, à petites touches, afin de ne pas mourir asphyxiée. Je m'exécutai avec cette fois plus de prudence. C'est alors que je remarquai avec surprise l'odeur de la fumée dans ma bouche. Je fus vite persuadée que Shaadira avait un peu triché sur les doses mises dans la pipe à eau. S'il y avait du tabac, un tabac macédonien fort et épicé très prisé par les Orientaux, elle avait aussi inclus dans la dose un peu de hachisch qui me monta bientôt à la tête en m'envahissant d'une douce euphorie. Shaadira me présenta un verre de thé sucré qui apaisa ma gorge en feu. L'émir entra, s'assit entre les deux hommes face à moi et sembla tout à coup fasciné par ma présence. Il me fixait d'une façon si intense que je baissai les yeux.

C'était bien la première fois depuis des lunes qu'il m'arrivait de baisser les yeux à cause du regard insistant d'un homme, mais les yeux de l'homme du désert me transperçaient et un sentiment de gêne inconnu me frappa soudain. Pour me donner une contenance, je repris une bouffée de la pipe magique et un bien-être subtil commença à m'envahir. Lentement, sous l'effet du narguilé, je sentis ma volonté m'abandonner pour faire place à un sentiment de douceur irresponsable. Petit à petit, mes sens s'ouvraient à une dimension nouvelle, plus permissive, alors que mon corps commençait à prendre le pas sur ma raison.

Je vis comme dans un nuage Charles et le nabab indien quitter le petit salon bras dessus, bras dessous, mon bijoutier me lançant un regard un peu inquiet. Mais devant ma passivité heureuse, il m'abandonna aux soins de Shaadira, rassuré de me savoir entre les mains protectrices et efficaces de la petite Indonésienne.

Une fois la porte refermée, les événements évoluèrent sensiblement. Shaadira était attentive, s'occupait de moi, me caressait de plus en plus lascivement devant l'émir impassible aux yeux de braise qui me fixaient. Pris d'une douce torpeur, mes sens commencèrent à s'éveiller. Les caresses de Shaadira, de plus en plus précises, produisaient un effet euphorisant qui se transmettait aux parties les plus sensibles et érotiques de mon corps. Je vis comme dans un brouillard la porte du salon s'ouvrir, des serviteurs apportant tapis et coussins, élargissant ainsi le cercle des plaisirs autour de l'émir toujours assis, droit comme un i sur son pouf de cuir rouge. Une fois les serviteurs partis, la porte s'ouvrit une nouvelle fois et laissa passer une femme superbe et quelques courtisanes. Je reconnus alors Leila, venue s'asseoir auprès de son époux. La princesse était vêtue de voiles qui ne cachaient presque rien de son magnifique corps entièrement nu.

Shaadira continuait à me caresser de façon de plus en plus précise, sa petite main remontant vers mes genoux puis progressant le long de mes cuisses maintenant dénudées. La petite bougresse savait pertinemment que j'étais nue sous ma robe et il lui était facile de montrer à son maître tous les appâts de mon corps. Le hachisch avait annihilé toute ma volonté de résistance aux caresses de Shaadira et je ressentais maintenant la montée du plaisir dans mon ventre et sur mes seins qui se gonflaient de désir. Je surpris les yeux de Leila, elle me regardait avec des yeux agrandis par le spectacle que j'offrais à leur couple. Shaadira entreprit de lever le bas de ma robe et je me retrouvai bientôt étendue, mon bas-ventre nu, mon mont de Vénus épilé et rond où mes grandes lèvres venaient s'évanouir sous les caresses de la main impertinente de la jeune Indonésienne.

Elle m'avait démontré tout son savoir-faire lors de notre bain et j'avais pu alors me laisser aller à une jouissance dont je gardais un doux souvenir. En ce moment précis, la jouissance m'envahissait aussi, bien différente, comme évanescente, arrivant par bouffées et vagues successives, diffuse dans tout mon corps. Shaadira défit les boutons de manchettes, dégrafa le haut de ma robe et la fit glisser par-dessus ma tête. Je me retrouvai nue mais d'une nudité qui ressemblait à un rêve. J'étais moi et j'étais une autre, je ressentais soudain une jouissance nouvelle, dédoublée par la puissance du hachisch. J'essayais désespérément d'être consciente de mes plaisirs, mais ma conscience se dérobait pour atteindre des plaisirs encore plus forts. Shaadira caressa mes pieds et mes orteils et je ressentis la chaleur de ses caresses jusqu'au plus profond de mon sexe qui commençait à répandre la liqueur de son plaisir.

C'est alors que l'émir fit signe à Leila de me rejoindre. Entretemps, Shaadira avait quitté ses vêtements, et son jeune corps nu, ses petits seins pointus et son sexe imberbe m'arracha un râle ineffable. À travers la brume de mes yeux, je vis Leila approcher et se débarrasser de ses voiles. Elle s'allongea sur les coussins, caressant de sa main la pointe de mes seins tandis que Shaadira s'affairait à ouvrir mes jambes qui cédèrent devant l'insistance de sa petite main plongeant jusqu'à mon sexe déjà mouillé abondamment. Elle retira sa main après m'avoir fouillé et la lécha avec application comme s'il s'agissait d'un nectar royal. Leila s'approcha et ses lèvres rencontrèrent les miennes, sa petite langue pointue se fraya un chemin pour me rejoindre et nos langues se fondirent de plaisir.

C'est alors que je vis l'émir au-dessus de nous, détachant son ceinturon et ouvrant sa djellaba. Son membre surgissait du buisson noir qui occupait son ventre tel un pic de mineur. Sa verge, longue et mince, veinée comme un vieux cep, s'avançait comme une branche au-dessus de nos têtes. Sans un mot, il se masturba, puis signifia à Shaadira de continuer ses caresses pendant que Leila, avec une infinie tendresse, me retournait et me faisait mettre à genoux, appuyée sur les coussins dans lesquels mes seins s'enfoncèrent. Je réalisai dans mon état à demi conscient que j'allais être prise en levrette par la longue tige mince et roide de l'émir. Leila m'entourait tendrement de ses bras, me couvrant de baisers. Je ressentis tout à coup la main de Shaadira sur mes fesses, elle les écarta, je sentis ses doigts toucher ma vulve pour s'assurer de ma moiteur. J'étais trempée d'impatience, j'attendais la verge de l'émir de tout mon corps frémissant. Je sentis la main de Shaadira s'appuyer sur ma fesse gauche puis ce fut le gland presque pointu de la verge de l'émir que Shaadira présenta entre mes grandes lèvres. Mon attente du plaisir d'être pénétrée atteignit son paroxysme au moment où d'un seul coup, l'émir me pénétra avec violence, ce qui m'envoya directement dans une jouissance éperdue. L'émir s'activa avec force, me donnant des coups de boutoir secs et nerveux, puis dans un grand cri, il jouit et je sentis sa queue se raidir et m'inonder. Puis il se retira brusquement. Déçue par la brièveté de la performance, je m'affalai sur les coussins et me mis stupidement à pleurer. J'avais atteint de tels sommets d'euphorie qu'il me sembla tout à coup que l'émir m'avait frustrée dans ma jouissance en l'écourtant sans raison.

Shaadira et Leila essayaient de me consoler en me caressant tendrement. L'émir avait quitté le petit salon, nous laissant seules toutes les trois entourées des courtisanes. Shaadira et la princesse me recouvrirent doucement d'un large peignoir et m'aidèrent à me relever. Leila insista pour nous emmener chez elle, je suivis mes nouvelles amies un peu comme un automate et, une fois dans les appartements de la princesse, je me laissai choir dans une méridienne. Shaadira, pleine de prévenance, arriva avec un bassin d'eau de roses et entreprit de me baigner avec une éponge qui laissa comme un baume rafraîchissant sur ma peau moite. Leila, elle, décida de me masser avec des huiles odoriférantes, ce qui eut pour effet de me calmer et de m'apaiser. C'était comme si j'avais fait un voyage où le merveilleux s'était soudainement transformé en un rêve trop court et sans suite.

Dans son anglais rocailleux, Leila me demandait de pardonner à l'émir sa façon de me traiter. Cela me fit bondir; j'expliquai à la princesse et à Shaadira que ce n'était pas le fait que l'émir m'ait baisée qui me rendait malheureuse, mais plutôt le fait qu'il ait pris son pied comme un animal, sans même penser un seul instant à mon plaisir et à ma jouissance. J'étais furieuse du manque d'égard et qu'on m'ait laissée sur ma faim. Consternée, Shaadira me confia d'une petite voix qu'ici à Mascate, les femmes ne servent qu'à donner du plaisir aux hommes et que toutes les femmes et concubines de l'émir n'ont qu'une fonction: celle d'assouvir les désirs du maître, ajoutant du même trait que si une femme voulait connaître le plaisir, c'est avec ses consœurs qu'elle pourrait l'obtenir. Ce n'était vraiment pas là des propos pour calmer ma colère contre les phallocrates, mais l'air peiné de Leila et de Shaadira apaisa mes ressentiments.

La nuit était fort avancée, Shaadira me reconduisit jusqu'à ma chambre où, après cette longue journée faite d'émotions diverses, je m'endormis nue sous les voiles de ma moustiquaire.

Mon dernier jour à Mascate

À mon réveil, Shaadira était déjà présente dans ma chambre, préparant mes habits pour la journée comme elle devait le faire pour toute la maisonnée de la princesse. Elle m'annonça que mon bijoutier et l'émir m'attendaient dans un boudoir pour le petit déjeuner. J'enfilai une robe-pantalon pour rejoindre mon hôte et le bijoutier auquel je devais toutes mes émotions d'Arabie. Je décidai de me montrer particulièrement hautaine et indifférente vis-à-vis de l'émir à la vue duquel j'avais envie d'être franchement désagréable. Un coffret de cuir rouge trônait sur mon assiette entre mon verre de jus d'orange et ma serviette immaculée. Je regardai le bijoutier avec surprise. Il m'annonça d'un ton très calme qu'il s'agissait d'un cadeau personnel de l'émir, ajoutant en français qu'il me suggérait fortement de l'accepter sans faire de vagues.

Je regardai, perplexe, le maître des lieux qui commença à m'expliquer la raison de son cadeau dans son anglais qui laissait transparaître l'école militaire de Sandhurst.

Déjà, je ne l'écoutais plus, absorbée dans l'ouverture du coffret. Quelle ne fut pas ma surprise lorsque je découvris dans son écrin un collier de trois rangs de diamants qui, au premier coup d'œil, représentaient un nombre astronomique de carats. Ce collier, je le trouvai sublime et mon cœur de femme fondit devant une telle merveille. Je mentirais si je niais être prête à toutes les bassesses pour recevoir d'un de mes amants un tel joyau. Combien de femmes ne se laisseraient pas séduire par la beauté d'un cadeau aussi somptueux? Émue, je me levai et allai embrasser l'émir sur la joue. Il recula presque devant mon geste spontané, mais je réussis tout de même à poser un baiser sur sa barbe rugueuse avant qu'il ajoute :

— Ma chère Christine, ce fut un réel plaisir...

Mon ami Charles fit mine de ne pas connaître les raisons pour lesquelles l'émir m'offrait un cadeau aussi somptueux et au fond de moi-même, je préférais qu'il en soit ainsi. Il avait, grâce à moi, fait d'excellentes affaires et avait liquidé presque la totalité de sa quincaillerie. Nous repartions en direction de Genève avec un chèque colossal, de sorte que l'homme d'affaires ne se souciait nullement du présent que l'émir venait de me faire. Le bijoutier pensait déjà à de nouvelles transactions et marquait son impatience.

— J'espère vous rencontrer bientôt à Genève, me lança l'émir avec une voix étrangement douce.

J'avais très envie de le revoir, mais dans des circonstances différentes où j'aurais la maîtrise des lieux pour apprendre à cet homme comment faire jouir une femme, si ce n'est l'aimer vraiment. Je refermai le coffret au somptueux bijou et nous prîmes congé de l'émir. Une voiture nous emporta vers Dubaï et je ne devais jamais revoir ni Leila ni Shaadira. Je me promis de leur écrire et de garder le contact avec l'épouse de l'émir et avec la petite Indonésienne, qui un jour peut-être serait à nouveau libre. La voiture de l'émir nous conduisit jusqu'à la passerelle d'embarquement du long courrier de Swissair en partance pour Zurich.

Mon bijoutier serrait toujours la deuxième mallette aux trois quarts vide. Il était affable mais avait repris ses distances. L'hôtesse nous servit un verre de champagne et je sombrai dans un sommeil profond, rempli de rêves de désert, de harems, de guerriers rébarbatifs et d'enlèvements. Ce n'est que plusieurs heures plus tard, quand l'hôtesse me réveilla pour l'atterrissage à Zurich, que je repris conscience de la réalité. La pluie frappait les vitres de l'avion et de gros nuages gris recouvraient tout le ciel au-dessus de la ville.

Quelques heures plus tard, je me retrouvai dans ma chambre de l'Hôtel des Bergues, à Genève. J'étais épuisée par le long voyage et encore excitée par le coffret qui trônait sur ma table de nuit. Je n'avais pas eu le cœur de confier ce trésor aux coffres de l'hôtel et je contemplais la merveille dans son écrin. Je remarquai alors la marque d'un grand bijoutier français sur un coin discret du coffret. Le collier venait de chez Jean Schlumberger, à Paris. J'étais sûre que mon bijoutier avait remarqué le fait mais n'avait pipé mot. Je réglai mon réveil de voyage pour sept heures trente, le bijoutier m'ayant donné rendez-vous à dix heures le lendemain matin afin de me remettre le chèque de ma commission. J'avais l'intention d'appeler Maud, puis d'aller à la banque et de prendre un avion pour Londres dans l'après-midi. Je mis quelque temps à m'endormir, l'esprit encore bousculé par tous les souvenirs et les impressions de ce voyage en Arabie heureuse.

Enrico, mon amour un peu fou

J'étais dans l'avion de British Airways en direction de Londres. Genève était déjà bien loin derrière moi. Pourquoi avais-je décidé de filer à Londres plutôt que de rallier Paris et de rester quelques jours à mon appartement de la rue Jacob et jouir des plaisirs parisiens? J'avais cédé à une impulsion; il me fallait voir Londres et essayer de retrouver, ne serait-ce que l'espace d'un instant, le fugitif moment d'amour fou qui m'avait frappé de son aiguillon lors de mon dernier passage dans la capitale de Sa Majesté.

Cela faisait maintenant plus d'un an que l'amour avait disparu dans les brumes de la Tamise. Le ronronnement de l'avion me permettait de repasser comme un film devant mes yeux clos les quelques jours de bonheur intense que j'avais connu à Londres au printemps de l'an dernier.

Maud m'avait accueillie dans leur appartement londonien du Dolphin Square pendant un court séjour. C'était après notre rencontre à Saint-Paul-de-Vence et nous avions envie de passer quelques jours ensemble. Sir Edward était quelque part entre Funchal et Lisbonne à la barre du Lady Maud et ma chère amie se morfondait avec une vilaine grippe dans son lit douillet. Maud avait été invitée au lancement d'un peintre italien, coqueluche de la Café Society de la capitale. Il s'était fait connaître lors de la restauration de la chapelle Sixtine au Vatican, ce qui lui avait valu quelques contrats faramineux à Londres dont notamment un contrat de restauration de certaines fresques de la National Gallery. Mais l'événement qui lança véritablement le peintre Enrico à Londres fut l'exécution d'une fresque mémorable dans la maison londonienne d'un célèbre musicien pop homosexuel. Cette fresque représentait un gymnase d'éphèbes où Socrate tenait cénacle. L'œuvre était très réussie, et le diable de peintre italien avait poussé l'exhibitionnisme des personnages aux limites de la décence anglaise. Ce fut un énorme succès, on en parla dans tous les journaux à potins, dans le *Times* de Londres et même dans les revues d'art les plus sérieuses de Grande-Bretagne.

Maud me pria donc de la remplacer à cet événement mondain. Je courus alors chez Harrod's m'acheter la tenue adéquate pour un vernissage londonien. J'optai pour un tailleur du dernier chic sortant de chez Vivian Lee, le couturier, avec un décolleté révélateur mais qui, à Paris, aurait paru aimablement vieux jeu, des souliers noir et blanc de chez David Jones, des bas qui eux, Dieu merci, étaient français, et un chapeau digne d'une création de la modiste de la Reine. J'étais parée, superbement londonienne et seul mon irrémédiable accent français m'empêchait de passer pour une lady. Pour le chauffeur de Maud, j'étais *countess* Christine ; le pauvre homme aurait certainement voulu me donner du *lady* Christine, mais mon prénom français lui semblait imprononçable et surtout si peu anglais.

La voiture m'emmena jusque dans Mayfair et le chauffeur arrêta devant une immense galerie d'art dont l'entrée était décorée de bannières aux couleurs éclatantes. Il y avait déjà foule et je fis une entrée remarquée, non seulement auprès des hommes présents, mais aussi des femmes, intriguées par l'inconnue qui s'avançait. Je tendis mon carton à la jeune femme préposée à l'accueil. Maud y avait griffonné un mot à l'endos en mentionnant mon nom et mon titre. L'aboyeur de service m'annonça et me présenta au galeriste et à un homme magnifique au teint basané, avec des cheveux noirs crépus, des épaules carrées, impeccable dans un complet italien sortant tout droit de chez Versace, une chemise rayée et une cravate illuminée d'un soleil dessiné par Donatella elle-même. Quand il comprit mon nom à consonance française, l'apollon répondit un « Charrrmé dé vous rrrencontrrrer » qui me séduisit instantanément.

Cet homme, il me le fallait. Je devins sur-le-champ amoureuse folle de cet Italien, peintre de surcroît. Je n'arrivais pas à me détacher de son regard. Il avait les yeux noisette, perçants, rieurs et inquisiteurs, et je fondais, comme probablement toutes les femmes qui se trouvaient dans la galerie à cet instant présent. Mais j'étais sûre d'une chose : ce soir, par n'importe quel moyen, Enrico serait dans mon lit. Je fus immédiatement jalouse chaque fois qu'il adressait la parole à une femme et me surpris même à détester tous les hommes un peu efféminés qui minaudaient autour de lui.

C'était la première fois que la passion me saisissait aussi violemment et je sentais mon cœur battre la chamade lorsque ses yeux croisaient les miens. Hélas, le bel Enrico était emporté par la houle de ses admirateurs. Ses toiles, d'un réalisme saisissant, retraçaient les personnages de la mythologie grecque ou latine. Son *Thésée et le Minotaure*, immense tableau ornant la vitrine de la galerie, était déjà vendu, comme du reste nombre de tableaux, ornés d'une pastille rouge. Une *Iphigénie en Tauride* où le corps de la déesse exprimait une sensualité presque excessive faisait le ravissement d'une horde de jolies femmes dont certaines montraient une excitation équivoque suscitée par la peinture d'Enrico et par leur fantasme secret d'être un jour le modèle du peintre. Je me mis à bouder dans mon coin, assise sur une chaise, au fond de la galerie. Il n'y avait qu'un tableau proche de moi, une évocation du dieu Pan, entouré de satyres, la cruche de vin à la main, regardant des sylphides dansant dans une prairie.

Un galant homme me tendit une flûte de champagne, je le remerciai poliment et sirotai les bulles ; quand il vit que l'espoir d'engager une conversation était nul, il se noya de nouveau dans la foule. Je restai seule dans ma bouderie, observant la faune bigarrée tout en gardant mon chapeau incliné afin que personne ne puisse saisir mon regard. Je m'étonnais moi-même de ma bouderie alors que des souvenirs d'enfance traversaient mon esprit. Les tantes affreuses qui voulaient à tout prix que je leur récite un compliment, les oncles un peu trop entreprenants qui me faisaient sauter sur leurs genoux, les uns et les autres horripilants et encourageant encore ma bouderie de petite fille malcommode.

Et tout à coup, miracle, une main nerveuse se posa sur mon épaule et je sus que c'était lui. Il me serra comme une buse saisit sa proie. J'attendais, haletante, une parole, un baiser, quelque chose... Une autre main se posa sur mon épaule gauche, comme une serre qui ne lâcherait pas sa prise ; mon cœur se mit à battre plus vite, j'avais hâte de dire oui, oui à n'importe quoi, oui, emporte-moi, oui, fais-moi l'amour, oui... J'attendais une parole, un mot, une demande, une requête, un ordre... La pression de ses doigts sur mes épaules me rendait faible, agonisante d'un désir encore mal défini, j'attendais... Enfin il se décida :

— Ma chèrrre amie, acceptez-vous de dîner avec moi ce soirrr ? J'ai invité quelques intimes...

Son accent italien m'affolait, j'étais sienne avant qu'il ne me le demande et le diable d'homme semblait jouir du trouble qu'il créait en moi.

— Nous dînerrrons à l'Éléphant bleu, sur Vauxhall Embankment à vingt-deux heures, je vous y attends...

Il me quitta en desserrant son emprise et mes épaules me semblèrent toutes molles. J'étais décidée à me rendre à son invitation, à ne pas le lâcher d'un pied, à le séduire, à le rendre fou de désir. Il fallait que je sois irrésistible, qu'il ne puisse regarder aucune autre femme, que je sois l'unique, la seule... Je me rendis près de la jeune personne assise à la table d'accueil ; il me fallait téléphoner à Maud pour qu'elle m'envoie le chauffeur qui me conduirait au restaurant. Je n'avais aucune idée de l'endroit où je devais me rendre, il me restait encore une heure avant le rendez-vous fatidique. Maud fut surprise de mon état d'excitation mais avec indulgence, elle m'assura de la présence de son chauffeur qui viendrait me prendre à la galerie. Je voulais jouer les intouchables, la super snob, je voulais montrer à mon peintre que je pouvais me passer de lui, que j'étais au-dessus de mes affaires et que c'était moi qui lui faisais une faveur en me rendant à son invitation.

Orgueil de femme, de femelle en rut que l'on doit courtiser plus fort encore simplement parce qu'elle est prête à se donner. Je me sentais tigresse, je me sentais colombe, féroce et douce, prête à combattre et à me soumettre au désir du mâle. Les féministes pures et dures ne comprendront jamais quelle peut être la jouissance de se donner avec réticence, de faire rugir le mâle et de le pousser dans ses derniers retranchements, d'exciter son désir et de finalement succomber dans sa propre jouissance de femme. Je passai discrètement dans ce que les Anglais appellent avec délicatesse le *powder room* afin de me refaire une beauté plus aguichante, le trait de crayon à paupières plus agressif, le mascara plus prononcé, le rouge plus pulpeux sur mes lèvres prêtes au plus doux des combats.

J'allai ensuite parader parmi la foule, minaudant par ci, souriant par là, inaccessible, lâchant des *How do you do ?*, des *Pleased to meet you* et des *Lovely* à des *ladies*, des artistes à la mode, des financiers très sérieux dont le nom était le dernier de mes soucis et la carte de visite probablement destinée à la poubelle de mon secrétaire. La foule commençait à s'éclaircir, la nuit était tombée et le pavé de Bond Street luisait sous la pluie fine et la lueur des lampadaires. Je regardai ma montre, le chauffeur de Maud devait être à la porte. Je me dirigeai vers la sortie, fit un signe discret des doigts à mon apollon italien, puis sous le parapluie du concierge, je sautai dans la Bentley de sir Edward.

Mon rêve prit fin, l'hôtesse me demandant de redresser mon siège car nous arrivions à Heathrow. Le Boeing se posa sans encombre et se dirigea vers l'aérogare de British Airways. Une demi-heure plus tard, j'étais au fond d'une limousine qui m'emmenait au Lowndes House à Knightsbridge, mon hôtel préféré lorsque je séjournais incognito dans cette ville des bords de la Tamise. Maud était à sa résidence de campagne et j'avais envie d'être seule pour me lancer à la recherche de mon beau peintre.

La nuit commençait à prendre possession de Londres. Je fis un brin de toilette, rajustai mon corsage trop serré que mes seins libres torturaient un peu et décidai d'aller dîner au The Lantern, un restaurant à la mode près de Old Brompton Road. J'étais certaine d'y retrouver une ambiance amusante sinon quelques connaissances qui égayeraient mon dîner. Un inimitable taxi londonien, appelé par le portier de l'hôtel, surgit de nulle part et s'arrêta dans un couinement de freins. Le chauffeur, dans un accent cockney à couper au couteau, m'énuméra tous ses tracas de la journée pendant le court trajet. Je lui donnai un pourboire assourdissant qui le remit de bonne humeur, ce qui me valut un : *Good Night Maaamm* presque amical.

Une bande de jeunes financiers de la *city* s'étourdissait à la bière, au vin blanc et au whisky devant le bar comble. Galants, ils me firent une place et je m'installai inconfortablement sur un tabouret, entourée de toutes parts par des jeunes loups aux dents longues. On discutait ferme des mérites de la dernière Porsche et de la nouvelle Lotus sans se soucier le moins du monde de l'intérêt que pouvait susciter une telle conversation auprès de la gent féminine.

Je demandai au barman français de me réserver une petite table, ce qu'il fit, ajoutant que cela serait chose faite dans moins d'un quart d'heure. Je terminai donc mon Glenmorangie en agitant les glaçons qui y flottaient, faisant durer le plaisir, tout en écoutant les propos insipides des futurs grands financiers qui m'entouraient.

Tout tournait autour du fric, des jobs payants et des voitures de luxe, les femmes n'étant dans leurs conversations que l'accessoire indispensable d'un week-end bien réussi.

Malgré tout, une fille qui dîne seule dans un restaurant à la mode intrigue toujours. Ce fut mon cas ce soir-là lorsque je pris place à ma table ; mes voisins engagèrent la conversation pour en savoir plus sur ma personne. Ils étaient gentils, distingués et bons vivants. Je leur racontai donc mon histoire d'amour, j'étais à la recherche de mon beau peintre italien dont j'étais sans nouvelle, etc. L'un des dîneurs, d'un certain âge, avait presque la larme à l'œil en écoutant mon récit. L'autre homme fustigeait la gent masculine en soulignant qu'abandonner à son sort une si jolie femme était indigne d'un gentleman, ce qu'il avait dû faire lui-même de nombreuses fois à en déduire par le sourire amusé de sa compagne quand elle entendit ces belles paroles.

Les deux jolies femmes qui accompagnaient ces messieurs se lancèrent dans des suppositions quant aux allées et venues du célèbre Enrico dont elles avaient toutes deux entendu parler. Ne voulant pas les laisser sur une vision d'amoureuse éplorée, je leur demandai quels étaient les derniers endroits *in* de la capitale. Elles furent alors intarissables et les deux hommes commencèrent sérieusement à bâiller d'ennui.

Le dîner tirait à sa fin, nous nous séparâmes après l'addition sans omettre d'échanger nos cartes de visite respectives. Je vomissais les Japonais qui avaient institué cette détestable et systématique habitude. Je hélai un taxi et quelques minutes plus tard, je me retrouvai dans ma chambre d'hôtel au lit douillet.

Le lendemain matin, après un solide petit déjeuner à l'anglaise que je pris dans mon lit, je dressai mon plan de bataille pour la journée. Tout d'abord, passer à la galerie de Bond Street et me renseigner au sujet d'Enrico, puis retourner à Portobello Road où j'avais passé une nuit d'enfer dont tout mon corps était encore imprégné, retrouver cet appartement sous les toits à l'immense verrière d'où j'apercevais les nuages roses dans le ciel pendant que le peintre me labourait de coups puissants qui m'arrachaient chaque fois un cri de jouissance. Et si je ne le trouvais pas là, dans cette petite rue où le matin venu, nous étions descendus nous rassasier de croissants et de café fort dans un petit bistrot aux murs enfumés, je comptais me rendre dans cette villa de Richmond Hill où il m'avait donné rendez-vous le surlendemain. C'était là où j'avais découvert que mon bel apollon avait un amant, jaloux, exécrable petit bonhomme qui, par sa richesse, croyait avoir un droit inaliénable sur Enrico. Là où j'avais pleuré, tempêté, crié, blessée dans mon cœur et dans mon orgueil de femme. Là où, malgré mon offre de mettre tout mon argent au service de sa carrière, le peintre de ma vie avait ricané en posant un baiser sur le front dégarni de son pitoyable amant.

Ayant chaussé une bonne paire de baskets, je quittai l'hôtel, bien décidée à partir à la reconquête de mon amour. Sir Edward, après avoir pris pour moi des informations sur le ridicule amant de mon peintre, m'avait confié qu'il s'agissait d'un financier véreux du nom de Brian Jolly qui, de surcroît, était au bord de la faillite.

Je comptais bien user de cette information pour reconquérir Enrico. Arrivée sur Bond Street, le galeriste me reconnut et m'invita à prendre un café. Il me raconta qu'Enrico avait disparu et que personne dans le milieu londonien de l'art ne savait où était passé le talentueux peintre italien. Certains clients de la galerie passaient régulièrement à la galerie pour s'enquérir au sujet d'Enrico et demander si de nouvelles toiles étaient arrivées. Le galeriste s'était renseigné, il connaissait l'amant d'Enrico et il m'apprit que c'était ce fameux Brian qui avait lancé la carrière londonienne du peintre. Il croyait aussi que ce dernier prélevait une forte somme sur tous les tableaux qu'Enrico vendait. Le galeriste supposait que Brian tenait en otage le peintre pour une raison qu'il ignorait. Je finis mon café, remerciai le galeriste qui me tendait une invitation pour le vernissage d'un nouveau jeune peintre en vogue et sautai dans un taxi en direction de Portobello Road.

La route était longue. Nous remontâmes Oxford Street, puis le taxi tourna sur Portobello Road et se mit à descendre la rue bordée d'antiquaires et d'échoppes de brocanteurs. Des galeries d'art contemporain voisinaient avec les marchés de fruits et légumes. Portobello, un jour de semaine, était relativement calme. Ce n'était pas l'effervescence du samedi où le marché se tenait dans la rue. Je reconnus la rue où Enrico avait son atelier. J'arrêtai le taxi puis, énervée et anxieuse, je courus jusqu'à la porte d'entrée. Le nom d'Enrico avait disparu, qu'importe, je sonnai chez un inconnu, la porte s'ouvrit et je grimpai les escaliers au pas de course. Arrivée à l'étage, je frappai à la porte qui m'était si familière malgré le nom slave épinglé à la vieille boîte aux lettres. Un barbu hirsute m'ouvrit. Je lui demandai s'il y avait longtemps qu'Enrico avait quitté son atelier. Le barbu, plutôt sympa, me donna la date précise où lui-même avait emménagé. Je calculai que la date du départ d'Enrico coïncidait, à une semaine près, avec celle de notre rencontre. Un peu confuse, je remerciai le barbu qui, au fond, se fichait éperdument d'Enrico, de moi et de mes recherches. Songeuse, je redescendis les escaliers et me dirigeai vers le bistrot où nous avions tant ri en prenant le petit déjeuner après cette nuit d'amour que je n'étais pas prête d'oublier. Je commandai un cappuccino, broyant du noir et essayant de comprendre ce qui avait pu faire fuir mon beau peintre italien.

Ayant décidé de faire le voyage jusqu'à Richmond Hill, je consultai mon carnet d'adresses où j'avais noté celle de l'infâme Brian, cause de mon chagrin, de mon amour déçu et d'un déboire qui alimentait encore ma colère. Richmond Hill se trouvait sur la route de Windsor, c'était loin et ruineux de faire le voyage en taxi. Je décidai de louer une voiture et une fois rentrée à l'hôtel, je demandai au concierge de m'en faire venir une de chez Hertz. Je n'avais jamais conduit en Angleterre et encore moins dans Londres, mais j'étais déterminée à vivre l'expérience. Conduire à gauche, m'habituer à penser à l'envers d'un conducteur *normal* me semblait un défi digne de moi. Après un lunch pris en vitesse à l'hôtel, je me sentis prête pour affronter les traîtrises de la route anglaise. Je me fis expliquer le chemin à suivre, sortis de Londres par le pont de Chelsea et pris la route de Windsor.

Mes premiers tours de roues me valurent quelques invectives salées de la plupart des chauffeurs, mais après une demi-heure de route, j'étais parfaitement intégrée à la circulation ambiante. Enfin arrivée à Richmond Hill, j'essayai de me remémorer le mur, puis le portail de la luxueuse résidence de Brian afin de ne pas la rater. Je pris à gauche sur Manor Hill Road et tout à coup je vis le fameux portail de fer forgé et ses colonnes de briques rouges. Il était fermé. Je garai l'auto sur le bord de la route et revins à pied vers l'entrée de la propriété. Une chaîne et un gros cadenas interdisaient l'entrée. Ce que je vis derrière la grille me stupéfia. La maison était presque en ruines, un bulldozer était en train de parachever la destruction des murs et d'une dernière cheminée.

Je me remémorai cette cheminée où, à la lumière d'un feu de bois, Brian avait tant ri devant le spectacle lamentable de l'amante déçue et mon horrible numéro où je m'accrochais aux pieds d'Enrico en lui offrant ma fortune. De tout cela, il ne restait rien, tout était détruit et l'oiseau s'était envolé, accompagné de son corbeau de malheur. Je n'avais plus qu'à poursuivre ma route ou à revenir vers Londres. J'optai pour le retour à Londres. Je confiai la voiture au portier du Lowndes et m'installai dans le hall où l'on m'apporta le thé traditionnel, un Darjeeling fort, qui me fit le plus grand bien.

J'attrapai une copie du *Times* et commençai à parcourir discrètement le journal favori de la gentry quand mes yeux furent attirés par un article intitulé « Obituary », l'équivalent de nos notices nécrologiques. J'appris en quelques lignes que l'horrible Brian était décédé la veille dans un terrible accident d'automobile, sa voiture encastrée dans la remorque d'un poids lourd arrêté sur l'autoroute A5. Il laissait dans le deuil ses deux filles, un frère et des amis. Le service funèbre devait avoir lieu deux jours plus tard dans le nord de l'Angleterre. Je feuilletai nerveusement le journal afin de trouver un article au sujet de cet accident, mais le *Times* n'avait pas jugé important de relater un banal accident d'automobile.

Je me dirigeai vers la loge du concierge et lui demandai, en lui montrant l'article, s'il n'avait pas remarqué quelque chose au sujet de cet accident dans un autre journal de la métropole. Le brave homme me sortit un exemplaire du *Daily News* de la veille où s'étalait en première page une photo montrant un invraisemblable amas de ferraille coincé sous la remorque d'un mastodonte des autoroutes. Je feuilletai le journal nerveusement et trouvai l'article relatant l'accident. Apparemment, les policiers avaient retiré deux corps des décombres de l'auto après cinq heures de travail. On avait identifié le conducteur comme étant Brian Jolly, homme d'affaires londonien. L'autre passager n'avait pu être identifié, ne portant aucun document sur lui. Je demandai au concierge de me découper les articles en question, ce qu'il fit avec empressement. Je devais être très pâle, car ce dernier me demanda si j'allais bien. Je lui répondis avec effort que j'étais simplement un peu secouée par cette nouvelle, ayant connu le financier londonien dans le passé.

Je ne savais que faire. Devrais-je me rendre au service funèbre de Brian afin d'apprendre quelque chose sur Enrico? Je décidai que ce n'était pas une très bonne idée et que l'on pourrait se méprendre sur les raisons de ma présence. Je ne pouvais non plus aller faire un tour à Scotland Yard pour leur demander de voir le corps de l'autre passager afin de l'identifier éventuellement. Résignée, je décidai qu'il valait mieux pour moi d'oublier toute cette affaire et d'appeler Maud afin de lui annoncer ma visite. Maud se montra étonnée de me savoir à Londres. Elle m'invita à la rejoindre à la campagne en m'annonçant qu'elle donnait justement une *garden party* le surlendemain et qu'elle serait heureuse que je puisse y assister. Depuis mon arrivée à Londres, ma vie sentimentale et sexuelle était à son plus bas. Quelques jours chez Maud me remettraient certainement d'aplomb, d'autant que Maud avait un chic particulier pour inviter des gens intéressants et originaux. Il y aurait certainement un homme qui me ferait oublier mes déconvenues des deux derniers jours.

Il me restait à occuper ma soirée à Londres. Le temps particulièrement doux prêtait à la flânerie. Il était dix-huit heures et j'avais enfin réussi à chasser temporairement de mon esprit mes déboires amoureux.

Je sortis de l'hôtel et me dirigeai vers le bar du Nichol's en traversant le Lowndes Square. Il fallait prendre un ascenseur pour se rendre au bar-restaurant de ce grand magasin devenu l'endroit en vogue depuis que Harrod's était tombé aux mains arabes du père de feu Dodi Al Fayed. Je m'installai au bar où il y avait déjà foule. Des filles superbes, des hommes beaux, très *British*, parlant chasse, chiens et chevaux. Des femmes plus très jeunes, habillées de couleurs pastel, chassant les très jeunes gens en quête d'un week-end qui les propulserait en haut de l'échelle sociale, mais surtout des gens élégants, bien élevés, dissertant de tout et de rien tout en vous draguant subtilement avec un humour tout britannique que je trouvais charmant. La coupe de champagne était délectable, les amuse-gueules parfaits et les barmen prévenants. C'était l'ambiance qui me faisait aimer Londres, cette mégapole où l'on pouvait tout aussi bien fréquenter le pire et le meilleur.

J'étais en grande conversation avec une belle tête rousse et bouclée, un homme distingué et raffiné, habillé d'un complet provenant du meilleur tailleur de Bond Street, s'exprimant avec un accent d'Eton très élaboré du genre *The rain in Spain falls mainly in the plain*[2], lorsque je sentis une main ferme sur mon épaule. Un frisson me parcourut. Mon cœur se mit à battre la chamade, je me retournai et aperçus Enrico. J'étais muette et figée lorsqu'il s'approcha de mon visage et déposa un tendre baiser sur ma joue. C'était bien Enrico, mon Enrico, il était vivant, le cadavre dans la voiture de Brian était celui d'un inconnu, je revivais enfin, mais j'étais morte d'angoisse à la pensée de ce qu'Enrico allait me dire. Je pressentais que mon amant m'avait non seulement caché certains aspects de sa vie, mais qu'il allait maintenant m'apprendre des choses terribles.

— Alors *carissima*, qu'est-ce que tu fais à Londrrres ?

— Je suis sur le point de prendre des vacances dans le Sussex chez des amis et j'en ai profité pour passer quelques jours à Londres pour y faire les boutiques...

---

2. Littéralement : «En Espagne, la pluie tombe surtout dans la plaine». Cette phrase est tirée du célèbre film *My Fair Lady* mettant en vedette Audrey Hepburn dans le rôle d'une jeune femme issue des milieux ouvriers, et un aristocrate, interprété par Rex Harrison, qui, s'étant donné comme mission d'être son Pygmalion et d'en faire une *lady*, notamment en transformant son accent cockney en accent d'Eton, lui fait répéter *ad nauseam* cette phrase, avec les bonnes intonations.

Enrico ne sembla pas très convaincu.

— Pourquoi tu me cherrrches alors… ?

Je fus prise de panique. Comment pouvait-il être au courant de mes recherches, que savait-il de mes visites chez le galeriste de Bond Street, de ma visite à Portobello Road et de mon escapade jusqu'à Richmond Hill ? Je répondis bêtement que j'avais envie de le revoir afin qu'il me donne des explications sur…

— *Carissima*, Brian est mort, plus d'explications…

Il n'allait pas s'en tirer comme ça. Il m'avait humiliée devant son amant, et maintenant, Brian mort, il fallait tourner la page et prétendre que rien ne s'était passé ? Mon instinct de femme lança une alerte rouge à mon cerveau et sournoisement ma méfiance se mit sur le qui-vive. Sous l'empire de la déconvenue, je fis savoir à Enrico qu'il m'avait humiliée sans raison et que si j'avais tenté de le revoir, c'était uniquement dans le but d'obtenir des explications sur sa conduite. Il ne devait surtout pas croire que j'allais passer l'éponge et me laisser séduire de nouveau par son charme. Ayant entendu cette conversation qui se déroulait en français, mon voisin de bar retraita avec distinction, comprenant à demi-mot que le champ de bataille n'était pas pour lui.

— Tu veux que nous parrrlions, viens, nous allons prrrendre une table pour discuter, fit Enrico en se dirigeant vers un coin tranquille du bar, mon verre à la main.

Je sentais une furieuse colère m'envahir mais en même temps, j'étais toujours fascinée par le bel Italien. De mauvaise humeur, j'allai le rejoindre et m'assis en face de lui, attendant qu'il me parle. Son *carissima* m'énervait. J'avais couché avec cet homme, passé des moments torrides dans ses bras, ri en buvant un café après l'amour pour être à la fin humiliée devant un nabot homosexuel qui considérait Enrico comme sa chose. Ce dernier restait muet, comme s'il ne savait pas encore quelle histoire me raconter pour se justifier. Mes sentiments à son égard s'étaient considérablement refroidis et je me sentais agressive, prête à lui dire toutes sortes de vacheries typiquement féminines.

— Alors, tu ne veux plus de moi ? lança Enrico.

Je lui répondis qu'il ne s'agissait pas de savoir si je le désirais ou non, ce que je voulais savoir, c'était pourquoi ? Pourquoi il m'avait conquise avec tout son charme italien, pourquoi il m'avait convoquée chez Brian, pourquoi il couchait avec ce nabot, pourquoi... ? N'est-il pas naturel, lorsque l'on a été trompé par celui que l'on aime, de chercher à comprendre pourquoi ?

Enrico resta longtemps sans réponse, puis d'un seul trait, il m'avoua que c'était lui qui avait tué Brian, qu'il avait cisaillé la canalisation de freins de sa voiture parce que Brian l'avait abandonné pour un tout jeune peintre, qu'il l'avait chassé du manoir de Richmond Hill et que finalement, il lui avait coupé les vivres. Enrico avoua qu'il n'avait plus le sou, que Brian avait englouti tout son argent dans des spéculations malheureuses, qu'il avait peur de lui... Enrico s'était finalement vengé de Brian. Il comptait aller s'installer en Argentine où un copain l'attendait.

— Que veux-tu, *carissima*, je souis comme je souis..., fit-il en se prenant la tête dans les mains.

Je ne savais plus très bien moi-même où j'en étais. Cette confession soudaine me mettait dans un terrible embarras, j'étais tout à coup confidente d'un assassin, bientôt ne serais-je pas sa complice en ne le livrant pas à la police ? Enrico me faisait soudainement horreur. Comment avais-je pu être assez stupide pour me lancer à corps perdu dans les bras de ce misérable ? Le pire était que je ne m'étais pas rendu compte qu'Enrico était homosexuel, moi qui prétendais être si perspicace et si experte en hommes et en relations humaines. Je demandai à Enrico de me laisser partir et de ne plus chercher à me revoir. En échange, je lui promis de taire son crime jusqu'à son départ pour l'Argentine, prévu pour la semaine suivante.

Je quittai le Nichol's et rentrai directement au Lowndes House. Je n'avais plus faim et Enrico avait vraiment gâché ma soirée. Je fis ma valise, demandai au service des chambres de me préparer un potage et décidai de me coucher tôt afin de partir de bonne heure pour me rendre chez Maud dans le Sussex. Cette dernière me serait sans doute d'un précieux secours pour mettre un peu d'ordre dans mes idées.

Le départ à la campagne

Je me réveillai en pleine forme. Une fois mon petit déjeuner à l'anglaise avalé, je fis descendre mes bagages, passai à la réception pour régler ma note et demandai que l'on avance ma voiture. L'idée de me rendre chez Maud et d'enfin pouvoir m'amuser, rire et si possible, forniquer à loisir m'avait fait oublier la pénible journée de la veille. Une fois mes bagages embarqués, je pris le volant après avoir demandé ma route au portier qui, gentiment, traça pour moi sur une carte l'itinéraire à suivre jusqu'à Chichester, puis les petites routes conduisant à la maison de campagne de sir Edward et de ma chère Maud.

Je traversai bientôt Guilford avant d'attaquer la traversée de la magnifique Queen Elizabeth Forest où la Marine royale britannique faisait pousser ses chênes destinés à la construction des bâtiments de Sa Majesté dans les chantiers navals de Portsmouth. Ce fut ensuite la descente sinueuse vers Portsmouth avant de bifurquer vers Chichester, petite ville sympathique dont la cathédrale gothique est une splendeur. J'arrêtai la voiture près de la terrasse d'un café sympa où je commandai un café et un muffin anglais à la cannelle. C'est alors que j'aperçus près du trottoir, juste derrière la roue avant droite de ma voiture, une flaque d'huile suspecte. Prise de panique, j'abandonnai mon cappuccino et mon muffin et me précipitai dans ma voiture pour vérifier les freins. Ils ne répondaient plus, la pédale s'écrasant sur le plancher sans résistance aucune. Le cœur battant la chamade, j'avisai au bout de la rue un flic sympathique faisant tournoyer son bâton de police en marchant tranquillement sur le trottoir. Poli comme seuls les policiers anglais peuvent l'être, le brave homme écouta mes propos hystériques et décida de venir inspecter ma voiture. Dans ma panique, je lui parlai de ma rencontre de la veille avec Enrico qui m'avait avoué avoir coupé les conduits de freins de la voiture de Brian Jolly. Flegmatique, mon flic appela le fameux service de dépannage de l'Automobile Association (AA) qui rappliqua sur les lieux dans les minutes qui suivirent. Le préposé de l'AA confirma au policier que ma voiture avait bel et bien été sabotée, un coup de lime avait entamé le conduit de frein de la roue qui avait lentement cédé pour finalement lâcher au moment où je garais la voiture le long du trottoir.

Le policier me demanda de le suivre jusqu'au poste de police:

— C'est une affaire qui relève de Scotland Yard, *M'am*. Il faut que vous fassiez une déposition, c'est une tentative de meurtre que nous avons là!

La mort dans l'âme, je suivis mon gentil flic jusqu'au poste. Ma journée était fichue et je me demandais comment annoncer à Maud que j'avais été victime d'une tentative d'assassinat.

Mon policier me fit attendre quelques minutes, donna des ordres au mécanicien du AA de remorquer la voiture jusqu'au poste de police, puis m'introduisit dans le bureau du *Chief Inspector* (c'était écrit sur la porte). Ce dernier, bel homme, fines moustaches bien taillées, à la veste de tweed déjà usée, commença à prendre ma déposition.

Il était onze heures du matin, Maud m'attendait pour le déjeuner et voilà que je devais déballer toute mon histoire sentimentale avec Enrico devant un inspecteur de police de Scotland Yard. Il tapait avec deux doigts son rapport sur une vieille machine à écrire Royal, à une vitesse vertigineuse. Il fut bientôt au courant de mes rapports avec Enrico depuis le vernissage, et si j'avais un peu édulcoré ma soirée torride avec l'Italien, je pris soin de décrire méticuleusement mon rendez-vous chez Brian Jolly et ma rencontre de la veille au Nichol's. Je signai ma déposition après l'avoir relue, indiquai au policier l'adresse de sir Edward et lui demandai comment je pouvais me procurer une voiture de remplacement.

L'inspecteur me fit patienter dans son bureau. Je l'entendis parler avec mon sympathique flic et les deux hommes se rendirent dans la cour du commissariat où ma voiture venait d'arriver.

Je commençais à m'impatienter, je poireautais depuis bientôt un quart d'heure dans ce bureau sans air quand la porte s'ouvrit. L'inspecteur m'expliqua qu'il était préférable qu'il vienne me reconduire jusqu'au manoir de sir Edward afin de m'éviter toute mauvaise rencontre. Il était d'avis que le bel Enrico pouvait fort bien se trouver encore dans les parages, attendant sa victime. Il me fit comprendre que j'étais le seul témoin de ses turpitudes et que moi seule pouvais l'accuser du crime qu'il m'avait avoué. Je réalisai que l'analyse de l'inspecteur était sans doute exacte, d'autant que j'avais mentionné dans ma déposition qu'Enrico comptait prendre un aller simple pour l'Argentine au cours de la semaine.

Galamment, l'inspecteur transféra mes bagages dans le coffre de sa vieille Rover de service, et nous prîmes la route du manoir de sir Edward. La surprise de Maud fut totale lorsqu'elle me vit descendre de la Rover. L'inspecteur prit la main de Maud en se cassant en deux dans ce qui aurait dû être une révérence et expliqua en quelques mots la raison de mon arrivée en sa compagnie. Maud m'embrassa en me serrant très fort contre elle et je fus instantanément rassurée. L'inspecteur demanda à lady Maud la permission de me téléphoner s'il y avait du nouveau dans ce dossier. Maud appela son *butler* qui s'empara de mes bagages, puis elle m'emmena par la main à la grande véranda où des domestiques s'affairaient à la préparation de la fête en décorant la pièce de bouquets de primeroses blanches.

Je m'aperçus que Maud avait les joues toutes rouges d'émotion. Mon aventure l'excitait et je la connaissais trop bien pour ne pas deviner qu'elle se languissait d'avoir par le détail, surtout si ce détail était particulièrement juteux, le récit complet de mes aventures avec le fameux peintre italien. Je lui racontai donc ma coucherie avec force références croustillantes, ce qui eut pour effet de l'émoustiller, puis je lui parlai de mes recherches pour retrouver le bel Enrico, de notre rencontre inopinée au Nichol's et finalement, de l'aventure du matin.

— Tu dois être toute remuée, ma pauvre chérie, tu vas voir, Maud va s'occuper de toi...

Maud me prit par la main, traversa le grand salon et m'entraîna dans les marches de l'escalier monumental qui occupait le hall d'entrée du manoir. Je découvris que le manoir en question tenait plus du château, avec ses innombrables pièces décorées dans le plus pur style Georges III. Maud ouvrit une porte, m'introduisit dans une chambre très éclairée, peinte en camaïeu dans ce fameux jaune anglais que l'on croirait tiré des roses ornant le jardin. Un lit immense était appuyé contre la paroi, entouré par deux tableaux magnifiques et coquins illustrant des scènes mythologiques. Refermant la porte, Maud me serra dans ses bras et commença à me caresser passionnément, me disant combien je lui avais manqué depuis nos soirées sur la Côte d'Azur, et combien j'étais méchante de l'avoir abandonnée si longtemps.

La peau de Maud était si douce que je commençais à oublier tous mes tracas. Ses caresses se faisaient plus précises, elle me prenait les seins, la taille, me couvrant de baisers pour laisser finalement ses mains rechercher mes cuisses et prendre possession de mon mont de Vénus. Lentement, délicatement, elle me poussa vers le lit et ensemble, nous échouâmes dans les délices des édredons et des oreillers de plumes.

Elle fut nue en un clin d'œil et elle s'acharna fébrilement sur mes vêtements qui pourtant n'offraient pas de grande résistance. Quel charmant prélude à la réception qui s'annonçait prometteuse ! Les caresses de Maud, bouche et mains confondues, agissaient comme un baume sur mon esprit un peu chaviré par les événements des dernières heures.

Maud me fit jouir, puis j'introduisis mes doigts agiles dans sa fente et l'aidai dans sa recherche de jouissance qui finalement se transforma en un orgasme qui la fit trembler de tous ses membres. Je ne me rendis pas compte du moment où elle m'abandonna, le sommeil m'ayant gagnée, je glissai dans une douce torpeur.

C'est la sonnerie du téléphone qui me réveilla. Un peu perdue dans mes rêves et mes souvenirs des caresses de Maud, je cherchai le récepteur posé sur un guéridon. C'était Maud, alerte et pimpante, qui me réprimandait au sujet de mon bref repos.

— Dépêche-toi, ma grande, il est déjà dix-sept heures, tu m'as abandonnée pour le thé, méchante, et voilà que nos invités sont sur le point d'arriver.

Je pris le chemin de la salle de bain et me lançai sous la douche. Quelques minutes plus tard, épongeant les dernières gouttes d'eau qui perlaient sur ma peau, je préparai ma tenue de la soirée. J'avais repéré la veille au Nichol's une adorable robe longue en soie rose qui m'allait comme un gant, c'est-à-dire qu'elle collait à ma peau d'une façon plus qu'indécente et donnait à mon teint bronzé un éclat tout sauf londonien. Je mis mes sandalettes de chez Ferragamo et, uniquement parée de mon collier de diamants, souvenir de mon séjour à Mascate, et de la chevalière aux armes de la famille dont je ne me séparais jamais, je m'apprêtai à franchir la porte de ma chambre quand le téléphone se remit à sonner.

Le majordome m'annonça qu'il me passait une ligne. C'était l'inspecteur de Scotland Yard qui m'annonçait qu'Enrico, mon bel Italien, avait été arrêté à l'aéroport de Gatwick au moment où il s'apprêtait à monter à bord d'un vol à destination de Buenos-Aires. L'homme du Yard était persuadé qu'Enrico était passé par Chichester avant de se rendre à Gatwick qui se trouvait à moins de deux heures de route. Il avait transmis son rapport à Londres et m'avisait que l'on pourrait fort bien me demander de témoigner ou tout au moins de confronter Enrico au cours des jours à venir. Il me remercia galamment et me demanda combien de jours je comptais rester chez sir Edward. Je lui répondis que je n'en savais rien, mais qu'il avait réussi à gâcher ma soirée. Le pauvre homme se confondit en excuses avant de raccrocher.

Alors donc, Enrico, qui m'avait assurée s'envoler pour l'Argentine dans une semaine, avait décidé de devancer son départ ! Il m'avait menti, une fois de plus, et il avait attenté à ma vie, ce qui m'enleva le peu de remords que j'avais encore de l'avoir dénoncé. J'étais vivante et bien décidée à passer une excellente soirée et à ne pas me laisser perturber par le fantôme d'Enrico.

Je quittai la pièce et entrepris de descendre l'escalier monumental sans trop attirer l'attention. Je n'échappai pourtant pas à la vigilance du majordome qui m'invita à le suivre et annonça mon arrivée. Sir Edward était aux côtés de Maud et tous deux accueillaient les invités qui s'égayaient ensuite dans l'immense salon et dans la véranda. Sir Edward m'embrassa tendrement tandis que Maud, le rose aux joues, ne put s'empêcher de me tapoter de ses petites mains amoureuses. Sir Edward me présenta à l'un de ses invités, un gentleman sorti tout droit de son manoir, immense, mince, les joues piquées de taches de rousseur, les cheveux plaqués avec de drôles de favoris argent et d'immenses oreilles décollées qui me firent irrésistiblement sourire en pensant à Dumbo l'éléphant.

C'était un véritable gentleman anglais, parlant avec une intonation qu'il cultivait sciemment ; il savait être charmant et prévenant et si son physique n'était pas celui de l'Apollon de mes rêves, il était plutôt séduisant, de sorte que je pouvais supporter sa présence dans l'immédiat.

Anthony Humfries-Jones avait tout d'un Anglais bien né et bien éduqué. Il disait des choses sensées, intéressantes, mais il parlait un peu trop de sa mère et très peu de ses petites amies.

Entre deux cocktails et la sonnerie de la cloche appelant les invités pour le dîner, j'appris que le père d'Anthony, Lord Humfries-Jones, avait été ministre de Sa Majesté, que sa mère avait été dans sa jeunesse *lady-in-waiting* de la reine mère et qu'incontestablement, Anthony, treizième baronet et futur lord Humfries, était l'homme recherché par toutes les mères ayant une progéniture à marier.

Mon insistance à lui tenir le bras était un sujet de commérage, et un coup d'œil lancé à sir Edward m'apprit que ce dernier s'amusait ferme du vilain tour qu'il venait de jouer aux commères en me jetant dans les bras d'Anthony. Ce qui m'incita à jouer un jeu amoureux avec le cher Anthony, qui, somme toute, n'en demandait pas tant. Un verre à la main, je me pendis à son cou en caressant sa nuque. Le pauvre homme rosissait à vue d'œil et, embarrassé, cherchait à modérer mes transports sans toutefois m'offenser. Maud l'avait certainement renseigné à mon sujet ; j'étais titrée, jeune, désirable et riche, donc il fallait se montrer prudent, mais malheureusement je n'étais ni anglaise ni une lady assez fourbe pour minauder et aguicher le cher homme sans choquer l'assistance guindée et médisante.

J'étais moi-même étonnée de l'ambiance qui régnait dans cette soirée mondaine, bon chic bon genre, mais particulièrement ennuyeuse. J'optai donc pour un comportement plutôt osé vis-à-vis du cher Anthony qui passa du rose au rouge, le front perlé de grosses gouttes de sueur. Il faut dire que mes mains se faisaient de plus en plus baladeuses et que, sans en avoir l'air, le verre de champagne dans une main, l'autre s'était aventurée vers la braguette de son smoking et soupesait directement une marchandise qui ne demandait qu'à montrer sa vigueur.

Anthony se mit à bégayer et à prononcer des phrases décousues qui trahissaient son émotion. Celle-ci fut à son comble quand mes doigts se refermèrent nerveusement sur un objet digne du plus grand intérêt et qui tendait furieusement le fin tissu de son pantalon. Quelle ne fut pas ma surprise quand je décelai un clin d'œil de ma chère Maud qui, d'un signe du menton, m'encourageait à poursuivre mes manœuvres d'approche. Je posai un léger baiser sur les lèvres d'Anthony en me haussant sur la pointe des pieds, ce qui l'obligea à plonger ses yeux dans mon décolleté où, comme d'habitude, rien ne pouvait arrêter son coup d'œil en profondeur. L'émoi que provoqua cette vision me permit d'apprécier la confusion du pauvre homme et la vigueur croissante de l'instrument que ma main n'avait pas relâché.

En tournant la tête, je remarquai une lady d'un certain âge, l'œil égrillard, qui semblait se délecter de mon petit manège. Le rose aux joues et la poitrine en chamade, elle n'arrivait pas à détacher son regard de ma main et de sa capture. Je commençai à beaucoup m'amuser quand Anthony poussa un soupir de gargouille et que ma main ressentit une éjaculation que je qualifierais de précoce. Anthony bredouilla une excuse plate et s'enfuit à la recherche d'un lieu où les hommes vont d'habitude à pied.

La lady en profita pour s'approcher, les seins laiteux soulevés par l'émotion et le décolleté à la veille d'atteindre son point de rupture. Elle m'entraîna derechef par le bras auprès d'un colosse roux portant un kilt et tout l'attirail du parfait Écossais. Une veste courte et une chemise en dentelle complétaient l'attirail qui, en d'autres lieux, m'aurait arraché un franc éclat de rire. Le géant à la chevelure bouclée et folle, aux bajoues dignes d'un *bagpiper*[3] d'opérette, aux genoux rugueux et aux bas à carreaux assortis à son kilt, me dépassait d'au moins une tête. Décorée de tous ses bijoux, sa lady avait aussi du panache. Le couple formait un ensemble hétéroclite du plus bel effet. Il se plia en deux et prit ma main pour faire semblant d'y déposer un baisemain. Sa moustache flamboyante me chatouilla tandis que mes yeux fascinés fixaient le kilt. Ce pur produit de l'aristocratie écossaise eut un œil malicieux :

---

3. Joueur de cornemuse.

— Les jolies Françaises se posent toujours la même question je vois! ajouta-t-il dans un français laborieux.

Peu s'en fallut qu'il ne relève son kilt pour me dévoiler le secret le mieux gardé de toute l'Écosse. Je n'y tenais pas particulièrement et j'essayai de m'éloigner du couple, d'autant que sa lady me tripotait maintenant les fesses avec insistance. Anthony vint à ma rescousse. Il me prêta affectueusement son bras et m'invita à danser, ce que je ne pouvais lui refuser. L'agitation de son pantalon s'était visiblement calmée et je pouvais sans trop de dégât me coller à lui, ce que je fis. Il dansait bien, nous nous rapprochâmes de nos hôtes qui dansaient non loin de là. Une fois côte à côte, Edward m'enleva des bras du cher Anthony; sa main ferme et sa jambe souple me conduisirent fort habilement dans un paso doble endiablé. Maud avait entrepris Anthony mais leur rythme semblait plus calme, le baronet écoutant les babillages d'une Maud en verve.

Le champagne aidant, la soirée prit du tonus. Les invités calmes et cérémonieux de tout à l'heure commençaient à s'échauffer sérieusement et les tenues plutôt strictes des ladies devinrent singulièrement plus relâchées, laissant apparaître ici la pointe d'un sein, là une jarretelle tentante ou un bas de dos fort échancré. C'était comme si le champagne coulant à flots avait pour effet de diluer les robes dans un flou artistique qui permettait aux corps de prendre leur essor érotique.

J'étais moi-même émoustillée et je me collai contre mon hôte dont je connaissais déjà les caractéristiques sensuelles. Edward me confia qu'après le départ de la plupart des invités, un dîner intime réunirait les plus valeureux et qu'il comptait sur ma présence. Je lui répondis que tant que Maud et lui-même organisaient les festivités, je serais toujours ravie d'y participer.

— Il y aura de la musique et une surprise...

Sir Edward me remit dans les bras d'Anthony en affirmant malicieusement qu'il était trop tôt pour me confier aux bras de Maud.

L'orchestre entama un slow qui ressemblait à un blues très lent. J'en profitai pour nouer mes mains autour de la nuque d'Anthony alors que ses mains se retrouvèrent comme par enchantement sur mes fesses. À travers le tissu soyeux de ma robe du soir, il put palper sans entrave le grain de ma peau et, une fois de plus, ses joues s'empourprèrent. L'inévitable s'ensuivit : soulevée par les forces de la nature, sa virilité tendant le pantalon à l'extrême vint se nicher entre mes cuisses. J'appréciai à sa juste valeur la caresse intime qui immanquablement me fit mouiller. Collée à Anthony, le champagne aidant, ma tête et mon corps en ébullition, je me laissai étourdir par le blues rythmé.

Tout à coup, la musique cessa alors que j'étais toujours nouée à Anthony ; ce dernier n'osait pas se détacher de moi de peur d'offrir à l'assistance une anatomie par trop incontrôlable. Le silence de la musique indiquait la fin de la soirée. Plusieurs des invités, lentement, prirent congé de leurs hôtes, après avoir dégusté qui un dernier verre de champagne, qui une dernière bouchée ou un petit-four. Certains invités se dirigèrent vers le fumoir de sir Edward, situé, avec la bibliothèque, dans l'aile gauche du manoir.

Anthony ayant repris ses esprits et son pantalon sa forme normale, nous emboîtâmes le pas aux autres invités. Le fumoir portait bien son nom, une odeur de pipe, de cigare flottait dans l'atmosphère, imprégnée dans le velours des fauteuils et des tentures. Un maître d'hôtel offrait aux invités du porto et des bouchées aux huîtres fumées, passant de petits groupes en petits groupes. Une table basse accueillait les convives qui s'assirent sur d'énormes coussins, ce qui rendait leur équilibre relativement précaire, selon le degré d'alcool consommé. Je me retrouvai à côté de sir Edward, tandis que ma chère Maud occupait un coussin voisin de celui d'Anthony. Je trouvai le stratagème un peu gros et cousu de fil blanc et en touchai deux mots à Edward qui sourit en m'assurant que ma première impression pouvait se retrouver fort déçue.

— Attendez, chère Christine, ne vous ai-je pas promis une surprise ?

Les coussins étaient volumineux mais instables, rendant un équilibre décent presque impossible, en tout cas pour les dames. Afin de supprimer le tangage de mon corps, ma jupe de soie déjà relevée au-delà de toute convenance, je m'assis dans la position du lotus, permettant à chacun d'avoir une vue imprenable sur ma vulve dénudée. D'autres femmes adoptèrent le même stratagème de sorte que ces messieurs purent se rincer l'œil sur un assortiment varié de pubis plus ou moins dénudés et de grandes lèvres qui ne demandaient qu'à s'exposer. Certaines, plus pudiques, se cachaient sous des dentelles révélatrices, d'autres, plus aventureuses, avaient eu recours à des strings minuscules pour ne pas sombrer dans l'inconvenance.

Je surpris le regard incrédule d'Anthony scrutant mon mont de Vénus bronzé et imberbe, ce qui provoqua chez lui une autre poussée de fièvre que la chère Maud s'empressa de jauger de sa petite main potelée. Edward menait ses manœuvres d'approche habituelles. Sous le fallacieux prétexte qu'il n'arrivait pas à extraire ses lorgnons de la poche de sa redingote, il me demanda mon aide afin que j'investisse de ma main la poche rebelle et que j'en extraie lesdits lorgnons. Mon équilibre instable nécessitait un appui solide pour effectuer la manœuvre, ce qui m'obligea à poser une main sur la cuisse d'Edward, rencontrant inévitablement le bâton de maréchal du cher homme. Je m'attardai un peu, histoire de renouer avec le plaisir de toucher l'instrument connu et finis par extraire les lunettes qui se retrouvèrent sur le nez du comte.

Il sourit, me complimenta sur mon bronzage et soupira en prétendant que malheureusement, il n'arriverait jamais à obtenir un teint de blond vénitien semblable au mien, malgré les embruns et le soleil de l'océan. On servit ce que nous appellerions en France un souper d'après théâtre. Entre la poire et le fromage, selon l'expression française consacrée, notre hôte frappa des mains.

Trois musiciens chinois apparurent et commencèrent à jouer une lancinante musique. Les tentures s'écartèrent pour faire place à un rideau blanc tendu par une longue perche de bambou. Des ombres chinoises apparurent, des danseurs complètement nus dont on n'apercevait que les ombres commencèrent un extraordinaire ballet. Les figures apparaissaient sur la toile dans tous leurs détails, encore grossis par la lanterne magique qui les éclairait. Les gestes des danseurs, tout d'abord hiératiques, obéissant à une chorégraphie millénaire, transportaient l'assistance dans un monde irréel. Puis les gestes devinrent moins saccadés, plus empreints de douceur. Les quatre danseurs, deux hommes et deux femmes, entreprirent une gestuelle érotique aux mouvements de plus en plus précis et révélateurs. L'image projetée sur la toile doublait la grandeur réelle des danseurs. Les attouchements devinrent de plus en plus précis, les mains caressant des seins, des lèvres entreprenant des baisers où les langues démesurées roulaient l'une sur l'autre, des mains de femmes allant à la conquête de verges d'une réalité brutale. Toutes ces images se bousculaient sur l'écran. L'assistance commençait à réagir à ce spectacle envoûtant, des petits cris, des soupirs et des gloussements interrompaient la musique qui bientôt n'était plus qu'un bruit de fond couvrant d'autres accords plus évocateurs de l'état d'excitation des spectateurs. Il y eut des bruits de robes arrachées, de fermetures éclair ouvertes, de souliers qui échouaient sur le plancher mais l'assistance, fascinée par le spectacle, n'arrivait pas à quitter des yeux l'écran de toile.

J'étais moi-même submergée par l'intensité du spectacle qui arrivait à son point culminant. Les corps se rejoignirent, les pénis pénétrèrent les vulves, les bouches s'accrochèrent aux membres virils dans une lente sarabande sans fin devant mes yeux subjugués. Les figures sur la toile nous démontraient les positions les plus extrêmes de l'amour dans un érotisme flamboyant et d'autant plus captivant qu'elles s'étalaient sur l'écran en ombres chinoises sans que l'on puisse saisir les expressions des visages ou l'émotion des corps. Je me rendis compte que je mouillais abondamment, mon corps jouissait tout seul des images sur la toile alors qu'étrangement, mon cerveau était comme vitrifié par le côté intellectuel de l'image. Une étrange distanciation se faisait entre mon corps exultant et mon cerveau fasciné par l'esthétisme particulier du spectacle.

La toile s'obscurcit soudain, les images s'évanouirent, le salon chinois resta dans la pénombre, la toile blanche remonta au plafond, les tentures se refermèrent et graduellement une lumière douce envahit la pièce. Les quatre danseurs étaient maintenant devant nous, immobiles dans leur dernière fornication tels des mimes. La musique reprit et ils recommencèrent leurs jeux érotiques devant l'assistance, les visages des hommes et des femmes trahissant enfin leur jouissance. Ce fut le déclenchement d'une immense partouze, les corps mêlés se prêtant à toutes les caresses, à toutes les jouissances. Maud, sans lâcher la verge d'Anthony qu'elle avait dénudée pendant le spectacle, me fit signe d'approcher. Je m'introduisis entre leurs deux corps et Maud me présenta le membre d'Anthony que j'avalai jusqu'à la hampe.

Edward avait suivi le mouvement et je sentis son énorme braquemart s'enfoncer dans mon sexe, poussant mon corps et ma bouche encore plus fort contre la verge d'Anthony. Puis Edward se retira, les petites mains de Maud caressèrent mes fesses, recherchant ma fente en écartant mes deux globes bronzés. Le gland de sir Edward, dirigé par Maud, commença à percer ma rosette intime déjà abondamment mouillée et tout à coup ma rose céda, le gland pénétra mon intimité puis bientôt la totalité du membre de sir Edward m'envahit, s'arrêtant lorsqu'il eut atteint son but, son corps stoppé par mes fesses dures. Maud, pendant ce temps, prenait mes seins dans ses petites mains tout en suçant avec moi le membre du bel Anthony. C'est alors que sir Edward commença son va-et-vient dont le rythme me jeta dans un orgasme interminable. Je sentis la sève monter dans la verge qui me labourait et mon antre coula comme une fontaine. Mon orgasme, tels les rapides d'une rivière, me conduisit aux portes de l'inconscient.

Je revins à moi plusieurs minutes plus tard. Maud, inquiète, scrutait mon visage lorsque je rouvris les yeux. Anthony semblait un peu paniqué, essuyant mes lèvres avec son mouchoir de dentelle afin de faire disparaître les traces de sperme qui ourlaient ma bouche. Sir Edward caressait doucement ma hanche, je me sentais comme revenir d'un nirvana que je n'aurais jamais voulu oublier.

C'est seulement après un long moment d'accalmie, vautrée dans les coussins de soie, entourée amoureusement par les bras douillets de Maud, que je repris conscience de la réalité. Quelques couples partouzaient encore çà et là, sir Edward avait disparu avec Anthony et je ne m'en souciai guère. Maud et moi montâmes doucement le grand escalier, drapées dans ce qui restait de nos vêtements. J'étais soudain très lasse. Dans ma chambre, Maud me coucha comme une petite fille, alla à la salle de bain et revint avec une débarbouillette pour me laver comme une enfant. Je sombrai dans un sommeil profond sans même savoir à quel moment Maud s'était retirée.

Le lendemain de veille

C'est un rayon de soleil impertinent qui me réveilla. Un plateau était posé sur un guéridon avec une théière d'argent emmitouflée d'un coussin matelassé pour garder le thé chaud. Je m'approchai du guéridon après avoir enfilé ma robe de chambre de soie chinoise et me laissai choir sur une chaise victorienne au dossier haut et courbé, quand le téléphone sonna. C'était le majordome qui, après s'être assuré que le petit déjeuner était à mon goût, m'annonça qu'il me passait une communication venant de l'extérieur. Mon inspecteur en chef était au bout du fil. Décidément, il ne me lâchait plus. Il me demanda poliment la date de mon retour à Londres puis me donna rendez-vous à Scotland Yard pour le mardi suivant afin de confronter Enrico. Je lui demandai s'il croyait l'exercice indispensable. Sérieux comme un pape, il m'assura que ma présence était absolument nécessaire, ajoutant que j'étais le seul témoin ayant reçu la confidence d'Enrico au sujet de la mort de Brian Jolly. L'inspecteur souhaitait de plus que je dépose une plainte contre Enrico pour tentative de meurtre à la suite de ma mésaventure de Chichester.

Il sembla un peu contrarié quand je lui répondis que, puisque j'allais à Londres, je verrais sur place s'il était nécessaire de porter plainte. Il suggéra qu'une plainte déposée à Chichester lui permettrait de suivre l'affaire de plus près et éventuellement, de me protéger. Ce cher inspecteur était-il amoureux de moi? L'idée me traversa l'esprit. Je la chassai en me disant que peut-être il n'avait pas tort. Plus je réfléchissais sur le sujet, plus j'étais intriguée par les raisons qui avaient poussé Enrico à commettre un crime aussi sordide et si bien planifié. Et pourquoi s'en était-il pris à moi? Je sentais que toute cette affaire allait assurément gâter mon séjour en Angleterre. Je pris la décision de m'ouvrir à sir Edward et de lui raconter dans le détail toute mon aventure avec Enrico. Peut-être le cher homme serait-il de bon conseil.

Mon déjeuner terminé, je pris une bonne douche qui me réveilla tout à fait. Les picotements de l'eau drue rendirent à ma peau son tonus et redonnèrent à mon cerveau jusqu'alors bien embrumé toute sa vivacité. J'enfilai un chandail de cachemire et un pantalon de cuir, chaussai des mocassins et descendis le grand escalier pour tomber sur l'inamovible majordome de sir Edward qui m'indiqua que lady Maud et sir Edward déjeunaient à la véranda.

Le manoir avait repris son aspect habituel, toutes traces de la bacchanale de la veille avaient disparu, les planchers avaient été cirés, les tables polies et tous les meubles semblaient n'avoir jamais accueilli de foule bigarrée.

La véranda respirait l'air frais du matin; Maud et Edward étaient assis confortablement dans de jolis fauteuils de rotin blanc. Maud beurrait légèrement ses *crumpets*, sir Edward avait entamé le premier cigare de la journée, les bouffées de fumée alternant avec les gorgées de thé fumant. Il tenait d'une main sa tasse de porcelaine et de l'autre, il feuilletait le *Times* posé bien à plat sur la table. Maud et sir Edward, le couple le plus parfait qu'il m'ait été donné de connaître, semblaient poser pour un photographe de *Country Living*.

En m'apercevant, Maud s'exclama que j'avais une mine resplendissante, un compliment un peu surfait devant mes yeux bouffis des excès de la veille. Je commençais à peine à raconter mon histoire à sir Edward après lui avoir posé deux becs sur ses joues roses que déjà ce dernier m'assurait que l'histoire avait fait la manchette des journaux, qu'il était au courant et qu'en fin de matinée, nous prendrions la voiture pour nous rendre à Londres.

— Étrange affaire, ma chérie, marmonna-t-il. Personnellement, je ne suis pas sûr de la culpabilité d'Enrico. C'était sans doute un sale garnement, mais j'ai du mal à croire qu'il soit le véritable coupable de cette sombre affaire.

Sir Edward me fit reprendre depuis le début le récit de mon aventure avec le peintre italien. Il fronça les sourcils lorsque je mentionnai ma visite chez Brian Jolly accompagnée d'Enrico, et la scène disgracieuse qui s'en était suivie. Les sourcils de sir Edward firent un autre accent circonflexe lorsque je lui racontai ma rencontre inopinée au bar du Nichol's. Le comte n'arrivait pas à croire que le peintre italien ait eu la mauvaise idée de m'avouer candidement sa culpabilité quant au meurtre de Brian et qu'il ait ensuite pris la peine de me suivre jusqu'à Chichester pour saboter les freins de ma voiture. C'était un peu farfelu comme scénario. Et je commençai à croire que sir Edward avait raison.

— Nous partirons pour Londres dans une demi-heure, je fais préparer la voiture, nous essayerons d'être de retour pour le dîner.

Je remontai dans ma chambre afin de me préparer, enfilai une robe de laine pas trop moulante et une veste de cheviotte café au lait. Un léger maquillage, une trousse de produits de beauté enfouie dans mon sac et j'étais prête. Je pris une dernière tasse de café avec Maud, l'embrassai sur les deux joues en la serrant très fort dans mes bras. Je me surpris à penser que Maud devenait importante pour moi, une sorte de mère-amante complice dont je pouvais de moins en moins me passer.

Le chauffeur vint nous prévenir que la voiture était avancée. Je rejoignis sir Edward sur le pas de la porte et nous nous engouffrâmes dans la Bentley. Je me sentais un peu perdue sur la banquette de l'immense voiture et me tassai frileusement dans le coin de la porte. Sir Edward s'en aperçut et releva l'accoudoir central, puis il prit ma main et m'attira contre lui. J'appréciais sa sollicitude, mais je n'avais pas l'esprit badin. Je pensais à cette confrontation au Yard et toute cette affaire me rendait nerveuse et peu perméable aux câlins affectueux que sir Edward était certainement prêt à me témoigner. Il comprit mon besoin de chaleur et de compréhension et s'abstint de gestes discourtois.

La voiture avait dépassé Guilford, le temps s'était assombri dès que nous eûmes quitté les collines des North Downs et une pluie fine tombait sur la campagne anglaise. Il était un peu plus de onze heures lorsque nous franchîmes le Vauxhall Bridge et que la Bentley s'engagea sur Millbank. Après Westminster, nous remontâmes Whitehall et le chauffeur s'engagea dans Great Scotland Yard après s'être arrêté à la barrière de contrôle, sir Edward ayant montré au garde son laissez-passer. La voiture s'arrêta doucement. Un portier vint nous ouvrir en tenant un immense parapluie et nous suivit jusqu'à l'intérieur. Tout de suite, je compris que, s'il ne faisait pas partie de la « Maison », sir Edward était en tout cas fort connu des occupants des lieux. Un jeune garde nous conduisit au troisième étage dans un ascenseur brinquebalant qui avait connu de meilleurs jours, et nous introduisit dans le bureau du superintendant A. Stewart, comme l'indiquait une plaque vissée sur la porte.

Nous étions à peine assis que le superintendant Stewart apparut, flanqué de mon inspecteur en chef de Chichester. Stewart et sir Edward se connaissaient fort bien, ils se tapèrent sur l'épaule amicalement en se lançant un *Nice to see you again* chaleureux. Puis on entama la partie sérieuse de l'entretien. Stewart me demanda si je voulais changer quelque chose à ma déclaration faite à Chichester ; ayant réfléchi à la remarque de sir Edward faite lors du petit déjeuner, je demandai à Stewart de bien vouloir ajouter à ma déclaration qu'à mon avis, il n'y avait aucune certitude quant à l'implication d'Enrico dans le crime de Chichester. L'inspecteur en chef fit une grimace, il désavouait le fait que je n'accuse pas formellement le peintre du forfait perpétré contre ma voiture.

Stewart expliqua alors comment se déroulerait la confrontation qui devait avoir lieu en présence d'Enrico et de son avocat. Stewart poserait certaines questions auxquelles j'aurais le droit de répondre ou pas, mais l'essentiel était d'identifier formellement Enrico et de confirmer que la personne que j'avais connue antérieurement et celle rencontrée lors de mon passage au bar du Nichol's ne formaient qu'une seule et même personne du nom d'Enrico.

On frappa à la porte et Enrico apparut, flanqué de deux gardiens. Il était hirsute avec une barbe d'au moins trois jours et avait perdu bien de sa prestance lors de son passage dans les geôles de Sa Majesté ; son avocat, un petit homme maigre, portant une valise presque plus grosse que lui, suivait derrière. Enrico me jeta un regard mélancolique qui me mit mal à l'aise. Le superintendant Stewart mena la confrontation. J'affirmai que c'était bien Enrico que j'avais connu lors de son exposition plusieurs mois auparavant, que c'était aussi lui que j'avais rencontré chez Brian Jolly à Richmond Hill et au bar du Nichol's, trois jours plus tôt.

Stewart fit signe aux gardiens d'emmener le prisonnier. Edward confia à son vieil ami qu'il ne croyait pas à la culpabilité d'Enrico.

— Cet homme est certainement une petite fripouille, mais je suis persuadé qu'il n'est pas coupable de meurtre. Stewart, tu devrais un peu fouiller le passé de ce Brian Jolly ; je me rappelle une affaire le concernant qui n'était pas piquée des vers. Si je me souviens bien, il avait voulu faire chanter un ministre de Margaret Thatcher au sujet de ses relations extraconjugales et toute l'histoire avait fini par la démission et le suicide du personnage. Cherche bien, Stewart... Tu sais que le Yard trouve toujours son homme... Et nous, si nous allions déjeuner ?

Sir Edward me regarda avec un sourire, me prêta son bras, salua Stewart et l'inspecteur en chef et m'entraîna vers la porte. Le chauffeur nous attendait et sir Edward lui donna l'adresse d'un petit restaurant italien sur Walton Street, tout près de The Lantern. La grosse Bentley se fraya un chemin sur Millbank puis remonta Grosvenor Road le long de la Tamise, sous un pâle soleil lumineux qui rappelait un tableau de Turner. Après Sloane Square, la Bentley pénétra sur Sloane Street l'élégante et se faufila dans de petites rues jusqu'à Walton Street. Sir Edward était resté étrangement muet durant le parcours ; je ne l'avais jamais vu si pensif. Il semblait perdu dans d'intenses réflexions et je n'osais piper mot de peur d'interrompre ses pensées. Nous descendîmes de l'auto et franchîmes la porte du San Marino où le patron nous avait réservé une table tranquille sous un étonnant cellier recelant des millésimes italiens de vignobles enchanteurs.

Une fois nos verres remplis, il trinqua solennellement en soulignant que c'était la première fois que nous nous retrouvions seuls tous les deux sans Maud.

— C'est comme si je déjeunais avec ma maîtresse !

Je lui demandai s'il en avait une. Il me regarda, interloqué, puis il m'avoua qu'il en avait eu plusieurs, mais n'en avait aimé qu'une seule, celle qui lui avait donné un fils et une fille.

— Vous savez, Christine, Maud ne pouvait pas avoir d'enfants.

Comme je tenais à avoir une descendance, j'ai reconnu mon fils illégitime. Il ne portera mon nom qu'à ma mort, vous l'avez du reste rencontré hier, lors de notre petite *surprise-party*...

J'étais intriguée et tout à coup, je compris l'insistance de sir Edward à me pousser dans les bras d'Anthony. Je le regardai :

— Vous voulez me dire qu'Anthony est votre fils ?

Sir Edward acquiesça. Il me raconta comment il avait engrossé la mère d'Anthony lors d'une réception donnée par le duc d'Edimbourg à Kensington Palace à l'occasion d'une réunion de la Fédération hippique internationale. Il y avait longtemps qu'il courtisait la mère d'Anthony et avait profité de ce qu'elle était un peu grise pour la prendre dans une antichambre du palais. Elle était devenue sa maîtresse et plus tard, lorsqu'elle fut mariée à Lord Humfries-Jones, sir Edward continua à inviter le couple et le petit Anthony dans leur manoir puis à faire des croisières sur le Lady Maud.

Il m'avoua aussi qu'Anthony hériterait de sa pairie au moment de sa mort, que Maud était au courant de ses décisions et qu'elle avait donné son consentement.

— Cela vous étonnera peut-être, Christine, mais j'aimerais vous demander d'épouser mon fils.

Je demeurai si interloquée par cette demande que je ne sus trop quoi répondre. Je me remémorai les moments exceptionnels et pleins d'érotisme que j'avais partagés avec Maud et sir Edward, la veille encore, mes émotions avaient presque atteint un point de non-retour, et voilà que sir Edward me demandait maintenant d'épouser son fils. Il y avait de quoi être totalement déconcertée ! Je regardai sir Edward qui souriait et je m'aperçus soudainement qu'il avait pris un coup de vieux, comme une pomme qui se flétrirait subitement.

— Edward, je ne sais que penser de votre proposition... Est-ce qu'Anthony est au courant de votre démarche ? A-t-il seulement quelque sentiment pour moi ? Vous ne pouvez pas forcer votre fils à m'épouser ! Et moi, je ne sais pas si vraiment j'ai envie de me marier.

Tout cela me semble un peu prématuré, ne trouvez-vous pas ?

Le serveur nous apporta nos *penne vongole*. Toujours sous le choc de la proposition de sir Edward, je lui demandai de me parler de sa fille. Il me répondit qu'il ne voyait pas l'utilité de remuer de mauvais souvenirs et que je découvrirais bien assez tôt ce qui lui était advenu. Les rides qui apparurent soudain sur son front n'étaient pas de bon augure et je m'abstins d'insister, me limitant plutôt à remuer mes *penne* dans la sauce et le parmesan.

Une pensée traversa mon esprit. Comment pourrais-je m'éclater sexuellement avec Edward et Maud en sachant que je deviendrais leur belle-fille ? Je souris à cette idée tout en me rassurant que demain ne serait pas la veille d'un événement aussi peu réalisable.

Mais sir Edward était sérieux et je n'arrivais pas à le dérider. Je lui demandai de m'embrasser et ce grand baiseur, gêné tout à coup, me bafouilla une excuse de collégien tout en essuyant la sauce tomate qui perlait à la commissure droite de ses lèvres. J'éclatai de rire en posant un délicat baiser sur sa main pommelée de taches de rousseur. Il m'assura que nous étions à Londres et non à Paris et que les mœurs britanniques ne souffraient pas qu'un homme embrasse une jeune femme dans un restaurant, encore moins dans un restaurant chic ; c'était là une chose inacceptable. Je le trouvai touchant, engoncé dans sa respectabilité de lord anglais pourtant prêt à s'encanailler joyeusement derrière une porte close. Je lui demandai si nous allions rentrer au manoir ou s'il allait m'inviter au théâtre. J'avais une furieuse envie d'aller à Covent Garden ou au Her Majesty's, de m'habiller, de faire la fête, même si je n'avais emporté que le strict nécessaire pour cette escapade forcée à Londres.

Sir Edward fut surpris de ma demande, il m'assura qu'il ne pouvait aller à l'opéra ou au théâtre à Londres en compagnie d'une jeune femme. J'appris ainsi que lorsque sir Edward était seul à Londres, il descendait à son club, le Marine and Merchant Club sur Piccadilly, où il retrouvait une chambre et tous les services nécessaires à la vie d'un parfait gentleman anglais. Il n'allait jamais seul à leur appartement du Dolphin Square, car c'était le domaine de Maud et il lui semblait totalement incongru d'y demeurer sans elle.

À mon corps défendant, je choisis de retourner à la campagne et sir Edward, voyant ma déception, m'assura que nous profiterions de mon prochain séjour en Angleterre pour aller tous les trois à l'opéra. Nous finîmes notre repas sans reparler de la proposition de mariage, ce qui fut un soulagement pour moi, puis nous nous engouffrâmes dans la Bentley qui reprit la route du manoir.

Dans la voiture, sir Edward me confia qu'il allait s'occuper de l'affaire Enrico et qu'il demanderait au ministre des Affaires extérieures d'expulser tout simplement le peintre italien. Cela simplifierait la suite de l'enquête étant donné qu'il avait indiqué à Stewart une piste plus vraisemblable sur l'éventuel meurtrier de Brian Jolly. Edward était persuadé de l'innocence d'Enrico même si ce dernier était probablement au courant de certains aspects peu orthodoxes de la vie de Brian. Je demandai à sir Edward s'il voulait bien prendre le dossier en main dans l'éventualité où Scotland Yard désirerait poursuivre l'affaire, lui soulignant que je n'avais pas envie de me replonger dans cette enquête. En disant cela, je réalisai qu'Enrico avait subrepticement disparu de mes pensées et de ma vie et je me trouvai un peu stupide d'avoir eu un faible pour un type aussi inintéressant.

La voiture encaissa soudain avec souplesse un cahot particulièrement redoutable qui me propulsa contre sir Edward. Instinctivement, je m'accrochai à lui et ma main droite s'égara malgré moi sur sa cuisse. Le chauffeur murmura un mot d'excuse et poursuivit sa route en évitant d'autres cahots sur une section de la route en reconstruction. La voiture avait considérablement ralenti mais ma main, elle, se trouvait emprisonnée entre les cuisses d'Edward qui avait croisé ses longues jambes. Il mit alors son bras autour de mes épaules et m'attira à lui. Ma tête se retrouva au creux de son cou et je ne pus m'empêcher de déposer un baiser juste au-dessous de son oreille. Il frissonna.

Sir Edward pesa sur le bouton qui permettait de monter la sépara-tion de verre fumé qui nous isolait du chauffeur. Je me mis à penser à la proposition de sir Edward. Comment pourrais-je me conduire comme une salope dans la voiture de mes amis très chers et devenir lady Christine, comtesse de Harrington et épouse du fils adultérin de mon amant anglais? La tâche n'était-elle pas au-dessus de mes forces? Allais-je me laisser piéger dans une vie rangée où je serais dorlotée et où tous mes caprices seraient presque immédiatement satisfaits? Abandonnerais-je ma liberté de choisir et de faire ce qu'il me plaît sans avoir à en rendre compte à qui que ce soit? Devrais-je tenir maison, lancer des invitations à dîner à des gens qui me déplaisaient? Devrais-je subir les amis de mon mari et me plier aux convenances de la vie aristocratique d'une famille bien en vue par la famille royale? Mais la question qui me hantait vraiment était celle de savoir si j'étais mûre pour faire une telle fin, tout honorable qu'elle ait été.

J'en arrivai à penser à mon frère que j'aimais tendrement malgré son goût immodéré pour la bienséance et la droiture. Jean était tout ce que je n'étais pas. Onctueux, posé, sachant toujours dire la bonne phrase au bon moment. Un peu cul béni, tout à fait délicieux et d'une érudition hors pair, il avait épousé une «jolie laide», abon-damment titrée, mais sans un sou vaillant. Il n'avait pas dû chercher très longtemps puisque la grande majorité de la noblesse française tire le diable par la queue et vend ses filles aux Dupont et Durant d'un monde bien argenté mais incurablement roturier. C'était là la grande aventure de la noblesse de France depuis la fin de la dernière guerre mondiale: marier sa progéniture et remplir son compte de banque afin d'entretenir des châteaux tombant en ruines et des ma-noirs entourés d'herbes folles.

Jean était donc une exception. Il avait hérité le titre de marquis de notre père, me laissant la couronne comtale afin de me faire une jolie chevalière que Mauboussin, le joaillier de la place Vendôme, s'était empressé de graver. Et mon cher frère avait reçu en dot de sa femme une kyrielle de châteaux et de relais de chasse situés presque aux quatre coins de la France.

Je n'avais pas revu Jean depuis plusieurs années. Étant donné qu'il était mon aîné de cinq ans, je me dis qu'il était la personne la mieux placée pour me conseiller. Je partirais donc pour Paris dans les jours à venir, réservant ma décision sur cette demande en mariage pour un avenir que j'espérais lointain. J'annonçai ma décision à sir Edward qui sembla approuver ma soudaine sagesse. Mais surtout, je voulais consacrer la soirée à en discuter avec Maud.

La voiture cahotait un peu sur le chemin creux menant au manoir et la pluie s'était mise à tomber. Le *butler* de sir Edward nous accueillit avec un grand parapluie, nous informant que lady Maud nous attendait pour le porto et que le dîner serait servi à vingt heures. Je montai à ma chambre pour changer de vêtements et, quelques minutes plus tard, je pénétrais dans la véranda où Edward et Maud m'attendaient, le verre de porto à la main. Si sir Edward avait un air dubitatif, Maud me manifesta sa chaleur et sa douceur habituelles.

— Christine chérie, je viens d'apprendre que ce grand fou vient de te faire une proposition de mariage par procuration, fit-elle. Je veux que tu saches que je n'en pense pas le plus grand bien, mais Edward aimerait tant qu'Anthony fasse une belle fin !

Je demandai sarcastiquement à Maud si elle trouvait que moi aussi je devais faire une belle fin avec un aristocrate distingué, un peu paillard, mais si bien dans sa peau d'Anglais «comme il faut». Elle fit une moue adorable et m'avoua :

— Edward a toujours pensé m'aimer depuis qu'il m'a épousée mais sincèrement, il n'a toujours aimé que lui-même, son titre et son manoir. Christine, il ne faut pas se marier sans amour, je l'ai fait et finalement nous avons eu une vie heureuse parce que nous recherchions,

Edward et moi, les mêmes plaisirs. Mais à part cela, nos intérêts étaient bien divergents. Edward aime la mer et moi je déteste la houle. J'aime aller aux courses à Ascot, il s'y ennuie à mourir. Je cultive mon jardin et mes roses et il bat la campagne avec son fusil et son chien. Le seul lien qui nous unisse est celui de la chair que nous consommons tous les deux allègrement. Si nous n'avions pas eu la même passion des corps qui se donnent dans la jouissance, nous aurions eu une bien piètre vie de couple... Edward donnez-moi encore un doigt de porto, voulez-vous ?

Edward se tenait coi, n'osant intervenir dans le débat qu'il avait lui-même suscité. Il me faisait pitié car je savais sa démarche sincère. Il cherchait à rendre son fils heureux en le mariant à celle qu'il croyait être la personne la plus proche de son idéal. Par contre, il sentait qu'il avait peut-être détruit le lien magique qui existait entre nous trois.

Le majordome entra et annonça le dîner. Je pris Maud et Edward par le bras et nous nous dirigeâmes vers le petit salon où le maître d'hôtel avait dressé une petite table pour un dîner intime. Il me fallait absolument empêcher que nos liens se distancent. Maud ne semblait pas très heureuse que sir Edward se soit lancé dans cette proposition de mariage et ce dernier était malheureux des effets de sa plaidoirie en faveur d'Anthony. Une fois à table, je leur annonçai que je prendrais le temps de réfléchir à la proposition. Je leur demandai aussi de surseoir à toute initiative dans ce sens et de garder secrètes nos discussions jusqu'à ce que je leur revienne avec ma décision.

Mes propos eurent pour effet de détendre l'atmosphère et nous finîmes notre repas dans la bonne humeur, en faisant de nombreux projets pour les mois à venir. Nous pourrions aller à Malaga et peut-être faire un tour à Grenade pendant le mois où fleurissent les orangers, et pourquoi pas pousser les voiles jusqu'à Ibiza ?

Peu de gens imaginent le plaisir qu'il y a à vivre en dilettante, heureux et insouciant des lendemains qui, pour le commun des mortels, ne chantent pas toujours. Notre petite coterie peut se permettre de vivre en n'ayant d'autres préoccupations que celles de découvrir des paysages nouveaux, d'apprécier l'art sous toutes ses formes, de faire de nouvelles connaissances avec qui, sait-on jamais, partager notre goût de la luxure.

Je pensai à Maureen en train de s'épuiser à comprendre les problèmes de ses patients, à Ricardo, trop beau, trop chaud, qui ne pensait qu'à mettre son engin sexuel dans le vagin mouillé de ses conquêtes, à Catherine, à Roger, mon amoureux fugace de l'Oignon rouge qui m'avait si bien fait l'amour, à tous ceux avec qui j'avais pris mon pied, étanché ma soif de plaisirs et, finalement, que je n'avais pas suffisamment aimés pour les garder près de moi. Tous ces amis qui grappillaient par-ci par-là une heure de bonheur ou de plaisir et qui retournaient à leur travail, esclaves d'un chèque ou d'un compte de banque...

Edward, Maud et moi sirotions un délicieux porto, confortablement installés à la véranda et malgré cela, je broyais du noir. Je me rapprochai de Maud, assise dans un magnifique canapé de shantung à fleurs. Émue, un peu idiote, je serrai sa petite main potelée comme, lorsque enfant, je serrais celle de ma bonne quand j'étais atteinte d'une détresse irrationnelle. Maud se blottit contre moi, son bras autour de ma taille.

— Vous voyez, Edward, combien vous avez troublé notre chère Christine avec vos histoires. Pour vous punir, nous dormirons ensemble ce soir et vous n'êtes pas invité à nous rejoindre !

Maud me prit par la main, se leva et m'entraîna jusqu'à ma chambre. Nous nous enfermâmes et mîmes fort longtemps à nous endormir.

Au revoir Londres, bonjour Paris !

À mon réveil, je pris le téléphone et appelai Paris. Maud avait quitté ma chambre, et un plateau avec un petit déjeuner à l'anglaise, saucisses, œufs, fruits et scones, m'attendait sur un guéridon. La secrétaire de Jean répondit et je dus finalement lui dire mon nom pour que cette bécasse finisse par passer la communication à mon cher frère. Jean faisait semblant de travailler depuis des années et récoltait un salaire mirobolant d'une firme de courtiers en valeurs mobilières américaine en échange de son nom et du prestige de sa famille, ce qui permettait d'apporter quelques fioritures au rapport annuel de la firme en question. Il organisait aussi des parties de chasse auxquelles les clients, américains ou arabes, se croyaient obligés d'assister pour rehausser leur prestige ou pour avoir l'occasion de glisser dans la conversation du lendemain qu'ils avaient tué avec le marquis de T. quelques poules faisanes qui n'auraient pas demandé mieux que d'échapper à ces maladroits.

Jean fut surpris de m'entendre ; il fut encore plus surpris lorsque je lui appris que je faisais le voyage à Paris pour lui demander conseil, et totalement décontenancé quand je lui appris que j'avais reçu une demande en mariage. Nous convînmes de nous retrouver le surlendemain pour déjeuner au Crillon. Il s'occupait de la réservation et enverrait une voiture me chercher à mon appartement.

Je déjeunai, pris ma douche et, une fois habillée, je descendis rejoindre Maud qui, selon son habitude, déjeunait à la véranda. Elle m'apprit que sir Edward était parti très tôt chasser avec son chien, et qu'ils étaient très fâchés l'un contre l'autre. Le majordome entreprit de faire mes réservations pour le lendemain matin et prévint le chauffeur qu'il aurait à me conduire à la gare de Waterloo afin de prendre l'Eurostar de midi. J'avais encore une chambre réservée au Lowndes, je téléphonai donc au concierge afin qu'il prépare ma note finale et la valise remplie des quelques effets personnels que j'avais laissés là. Puis j'appelai ma bonne à Paris pour lui annoncer mon arrivée. Tout cela me mit de bonne humeur et je réussis à convaincre Maud d'aller faire un tour du côté de Chichester pour chiner chez les antiquaires du coin.

Demain soir, je serais à Paris ; comme une petite fille, je me sentais impatiente de retrouver l'ambiance de la Ville lumière et, qui sait, de revoir quelques vieux amis.

Paris, Paris

L'Eurostar n'allait pas assez vite à mon goût. Le train serpentait à travers la campagne anglaise à une allure de tortue. Ce n'est qu'après avoir franchi le tunnel sous la Manche que le paysage s'accéléra et que le TGV traversa à vive allure les champs de blé encore verts de l'Artois. Un arrêt de quelques minutes à Lille et le train s'élança à la conquête de Paris.

Des souvenirs de petite fille me revinrent en mémoire alors que je quittais un insignifiant bourg de province et son pensionnat plus nul encore et que, installée dans un compartiment d'un wagon aux sièges de velours vert, tout excitée, j'écrasais mon nez contre la vitre pour ne rien perdre de la scène bucolique qui défilait sous mes yeux.

Soudain, le train se mit à ralentir et la banlieue commença à défiler. Des toits de pavillons et des petites rues animées entrevues l'espace d'un instant, puis une succession de gares de triage aux innombrables wagons de marchandises. La brume m'empêchait de découvrir la ville, seules quelques barres d'habitations lugubres encombraient l'horizon. Enfin ce fut Paris, ses toits d'ardoise, ses grands immeubles, ses rues encore mouillées par la pluie du matin et l'arrivée de l'Eurostar au ralenti sur les quais de la gare du Nord où se pressaient déjà porteurs et employés dans l'attente des voyageurs.

Un porteur noir aux yeux rieurs encore pleins du soleil du Mali ou du Sénégal m'offrit ses services, empilant sur son diable mes valises et mon gros sac Vuitton en peau de chagrin. Il se dirigea vers une file de taxis, retint une voiture, emplit le coffre de mes bagages et ferma la portière en s'assurant que j'étais bien installée. Je lui donnai un billet de cent francs et il repartit vers un autre train à la recherche de nouveaux clients, un large sourire fendant son visage rond et noir comme du cirage.

Je donnai mon adresse au chauffeur et la voiture se mit à rouler au milieu du capharnaüm de la circulation parisienne. Nous descendîmes la rue Lafayette, puis ce fut la place de l'Opéra, la rue de l'Opéra, le passage de la porte du Louvre, la traversée des jardins du Carrousel, le pont sur la Seine et enfin, nous arrivâmes dans mon quartier tant aimé. Le taxi stoppa rue Jacob, devant la porte cochère qui protégeait ma retraite. La concierge, surprise mais contente, me lança sur un ton joyeux:

— Ben, si c'est pas mademoiselle Christine!

Elle m'aida à monter les bagages tout en déballant les derniers potins de l'immeuble, de la rue Jacob et des voisins les plus célèbres. Comme toutes les concierges de Paris, la mienne prenait un plaisir avoué à potiner sur les sujets scabreux qui illustraient son quotidien. Je fus presque obligée de la mettre à la porte pour finalement jouir d'un peu de tranquillité. Ma bonne portugaise étant sortie, je déballai mes affaires, me fis couler un bain, pris mon peignoir favori et me plongeai dans l'eau chaude à l'arôme délectable d'algues relaxantes. J'entendis la porte d'entrée se refermer, Consuela était rentrée. Je l'appelai et lui demandai de m'apporter mon courrier. Elle fut surprise de m'entendre, m'apporta une liasse de lettres et me demanda si j'avais l'intention de dîner à la maison. Je la rassurai en lui disant que j'irais probablement manger au Muniche ou Aux Assassins, à deux pas de chez moi. Après la cinquième lettre, je m'assoupis dans le bain et ce n'est qu'une demi-heure plus tard que je me réveillai, mon courrier flottant dans la baignoire et les lettres délavées par l'eau savonneuse.

J'appelai Consuela, elle ramassa les papiers trempés et me présenta un drap de bain immense pour me sécher. J'enfilai mon peignoir et une fois dans ma chambre, je tirai d'un tiroir un vieux jean délavé et élimé, mon préféré, et un *twin-set* de cachemire. Je filai au Muniche, affamée, en assurant Consuela que je n'avais besoin de rien et qu'elle pouvait prendre sa soirée.

Au Muniche, Monsieur Blanc m'accueillit en vieille habituée et me donna une table le long du mur. Situé au coin de la rue Saint-Benoît, le Muniche était l'un de ces lieux emblématiques de Saint-Germain-des-Prés où tout le monde venait pour épier tout le monde. Le grand escalier qui descendait au restaurant empêchait quiconque de passer inaperçu aux yeux des convives attablés. Je ne faillis point à la règle ; à peine assise, les murmures débutèrent, les clins d'œil et les petits signes amicaux des uns et l'ostracisme des autres me confirmèrent que j'étais bien à Paris, la seule ville qui m'appartenait en propre.

Je reconnus la petite Aubriac qui fut jadis la putain de service d'un célèbre ministre du président avant que de se prétendre écrivain. Elle avait commis un livre chez Julliard qui, après une nuit de scandale, fut bien vite oublié. Elle semblait folle amoureuse d'un jeune intellectuel que je ne connaissais pas et se laissait palper un peu partout par ses mains baladeuses. Elle fit mine de ne pas me reconnaître, elle qui fut pourtant mon initiatrice à des plaisirs indécents et exquis. La chère petite ne se voyait pas vieillir et courait encore après les fruits verts de l'intelligentsia parisienne. Elle avait dû conquérir le jeunot au Café de Flore en lisant quelques feuillets d'une prose insipide et criant au génie dès qu'elle se fut assurée que le jeune intello était bien né, argenté et si possible à particule. Elle n'était donc pas encore casée ni mariée, malgré ses efforts pour faire une fin dans la haute société.

Mon repas se passa en douces réminiscences puis je rentrai sagement chez moi, accompagnée d'une pluie fine et de tous mes souvenirs. Le lendemain, je devrais affronter Jean qui, en grand frère bien intentionné, me ferait encore des remontrances sur ma conduite plutôt marginale qu'il n'appréciait guère. Je retrouvai mon lit, mon édredon de plumes et mes oreillers; ma dernière image fut celle d'une soirée où la petite Aubriac et moi-même eûmes raison de la lubricité d'un sénateur du Rhône...

La petite Aubriac

Je vous l'ai déjà avoué, ce récit n'est d'aucune manière présenté de façon chronologique, mais plutôt soumis, pêle-mêle, aux caprices de ma mémoire. Aussi vous parlerai-je d'un souvenir que j'ai plaisir à me rappeler et qui remonte à ma folle jeunesse, celui de la petite Aubriac et de cette époque bien particulière de ma jeune vie.

C'était l'année du bac, celle qui représente pour tous les étudiants normaux l'année charnière de leurs études, l'année au cours de laquelle ils bossent comme jamais auparavant, dans des affres sans pareilles, pour réussir les examens de fin d'année qui, en France, peuvent déterminer leur vie future. J'avoue que ce bac, je l'ai préparé un peu en fumiste, comme toujours, et que, une fois l'examen écrit en poche, l'oral à passer devant des doctes personnes dûment payées par le ministère de l'Éducation nationale ne m'apparaissait pas plus pénible que de grimper la roche de Solutré en compagnie du président à la rose.

L'une de mes vieilles tantes, détestée pour son esprit frondeur et baptisée «la socialiste» par la famille entière, m'avait invitée à prendre le thé peu avant l'épreuve suprême pour me recommander la plus grande désinvolture lors de mon interrogation orale par les soi-disant experts.

— Tu es assez intelligente pour les faire tourner en bourrique, alors sers-toi de ta beauté et de ton esprit. Tes juges seront de toute façon vieux, aigris et probablement plus ou moins séniles, tu n'auras qu'à faire appel à tes charmes...

« La socialiste » avait raison, sauf sur un point. L'un des examinateurs était, à ma grande surprise, *une* examinatrice, une fort jolie femme d'ailleurs, aux yeux d'un bleu intense, aux cheveux blond vénitien, vêtue d'un tailleur noir classique qui laissait deviner une gorge superbe et des jambes longues et galbées à la perfection. J'eus heureusement la chance d'avoir à commenter une œuvre de ce cher Marivaux et de m'expliquer sur le marivaudage.

Alors là, ce fut du délire. Ayant pratiqué depuis ma puberté tous les aspects de la planète Marivaux, du plus petit libertinage sans conséquence au marivaudage le plus audacieux, je pus, devant mes juges subjugués, faire preuve d'une maîtrise peu commune du sujet le plus éculé.

Lors de mon exposé, je remarquai avec étonnement les yeux de ma blonde experte qui devenaient presque violacés par l'intérêt soutenu qu'elle portait à ma personne et peut-être, quoique j'en doutai, à mes paroles. Le col sous tension de son tailleur trahissait le trouble de ses seins, sa poitrine se creusant plus fort, le sillon du décolleté contenant mal son émotion, et ses joues rosissant sous les boucles blondes entourant son visage. Elle se mordait les lèvres pendant que les deux vieux croûtons qui l'accompagnaient semblaient agacés par ma maîtrise du sujet.

Mais déjà le temps de mon interrogation était dépassé. Les experts me prièrent de sortir, la blonde me lançant un regard plein du regret de me voir partir. Celle qui maintenant serait interrogée était une petite blonde pulpeuse, à la poitrine agressive et au verbe haut. Elle me bouscula presque dans le couloir qui menait à la salle d'examen. Je retrouvai quelques copines du lycée et nous allâmes prendre une demi-grenadine sur une terrasse au pied de la Sorbonne.

Une heure plus tard, je vis arriver, le visage en pleurs, la petite blonde pulpeuse du couloir. Les yeux rouges, elle reniflait et son mascara dégoulinait sur ses joues aux pommettes saillantes. Sa poitrine était secouée par des sanglots à fendre l'âme. Elle s'assit près de nous, cherchant un réconfort auprès de ses compagnes d'infortune. J'allongeai mon bras autour de son épaule et elle enfouit son visage dans la mienne, m'inondant au passage du ruissellement de ses larmes. Elle mit plusieurs minutes pour se remettre et finalement, entre deux hoquets, je compris que ma belle examinatrice l'avait littéralement taillée en pièces. Elle finit par se calmer et je lui proposai d'aller prendre un thé toutes les deux à la Bûcherie, près du Petit Pont. Elle acquiesça et nous partîmes, bras dessus, bras dessous, laissant mes compagnes d'examen siroter joyeusement leur demi-grenadine.

Nous descendîmes lentement la rue des Écoles, traversâmes le boulevard Saint-Germain, longeâmes l'église Saint-Séverin pour arriver à la Bûcherie. En cette fin d'après-midi, de vieilles dames très chic et de jeunes femmes séduisantes buvaient un thé de Chine en engloutissant des petits fours. Nous trouvâmes une table de coin près de la cheminée et je commandai mon thé favori, un Lapsang-Souchong fumé et presque noir, le préféré de feu mon père.

J'appris qu'elle s'appelait Claudine Aubriac, qu'elle voulait faire Belles-Lettres et devenir une écrivaine célèbre. Je lui répondis que je m'appelais Christine et que je me destinais à être dilettante professionnelle ou, à tout le moins, Mata-Hari ou Anaïs Nin. Claudine rit et, malgré ses yeux encore gonflés par les larmes versées, il se dégageait d'elle une attirance faite de chaleur sensuelle et d'une sorte d'agressivité féline. Elle me rappelait Marilyn Monroe dans *Certains l'aiment chaud*.

Très vite, nous en vînmes à nous toucher, à nous caresser les bras et les mains sans oser poser une paume, aussi légère soit-elle, sur un sein ou un genou encore pudique. Je découvris que j'avais faim d'elle, de cette petite chatte ronronnante aux lèvres tellement bien ourlées que l'envie d'y laisser un baiser devenait brûlante et expiatoire. À vingt ans à peine, j'en étais à mes premières expériences de débauche féminine et je me sentais prête à vivre de nouveaux délices libertins.

J'invitai Claudine à passer la soirée avec moi. Nous irions à mon appartement, désert depuis la mort de mon père et le mariage de mon frère. Elle accepta, mais voulut d'abord appeler ses parents qui habitaient la banlieue, à Rueil-Malmaison ou Hay-les-Roses, je ne me souviens pas du lieu exact.

Elle se leva pour aller à la cabine téléphonique et j'aperçus le haut de ses cuisses déjà bronzées découvertes un court instant par les caprices de sa jupe. Une bouffée de chaleur m'envahit. Je n'avais encore jamais vraiment fait l'amour avec une fille, seuls les marivaudages un peu niais des dortoirs de couvent et de pensionnat m'étaient familiers. J'avais aussi eu une initiation très spéciale aux plaisirs de Lesbos grâce à une cousine délurée et plus âgée que moi qui avait profité des vacances d'été au manoir paternel pour échanger des attouchements qui me permirent d'atteindre une jouissance nouvelle. Et maintenant j'allais emmener chez moi une fleur délicieuse que j'avais soudain une envie folle d'effeuiller.

Claudine arriva, je ramassai son cartable, le mis sous mon bras et nous sortîmes de la Bûcherie. J'expliquai à Claudine que j'habitais rue Jacob. Nous décidâmes de nous y rendre à pied par la rue de la Huchette et la rue Saint-André-des-Arts. En passant rue de Buci, nous achetâmes du caviar et une bouteille de Veuve Clicquot, quelques craquelins et une énorme tranche de roquefort. C'était, à cette époque, mon idée d'une bombance décadente et pas trop catholique. Claudine se laissa faire, elle approuva tous mes achats, le regard gourmand d'une minette en chaleur.

Enfin, nous arrivâmes, les bras chargés, rue Jacob. La concierge nous aperçut de sa loge mais ne releva pas notre passage. La pauvre ne savait pas que ce soir-là serait le premier d'une débauche presque continue dont elle ne prendrait conscience que bien des années plus tard. Depuis la mort de mon père et le départ de Jean, j'avais un peu réaménagé l'immense appartement. J'avais surtout élu domicile dans le salon, la pièce la plus ensoleillée et la plus grande, qui m'apparaissait être le meilleur endroit où me vautrer dans le stupre, entourée de tous mes démons, réels et imaginaires.

Claudine et moi préparâmes notre collation sur un grand plateau que nous déposâmes sur une table basse, devant mon lit immense. J'avais pris deux coupes en cristal dans le vaisselier, sorti deux assiettes et des couverts d'argent au chiffre des T. et installé mon gros édredon à même le tapis pour mieux nous y blottir.

Les préparatifs terminés, Claudine me surprit; elle s'était déjà à moitié déshabillée et m'offrait ses jolies fesses charnues dans un bikini blanc tandis qu'un soutien-gorge violet essayait de libérer ses seins de toute contrainte. Elle me regarda, vint à moi et entreprit de me dénuder de ses mains agiles. En tenues légères, nous attaquâmes la Veuve Clicquot et le caviar, beurrant épais les merveilleux œufs noirs sur des craquelins pour aussitôt les engloutir d'un trait en riant. Claudine avait la bouche constellée de petits grains noirs; c'était irrésistible, je m'approchai d'elle et l'embrassai doucement, mêlant ma langue à la sienne dans un baiser barbouillé de caviar.

Nous bûmes nos coupes cul sec et, la bouche encore pleine de bulles, nous reprîmes nos baisers qui devenaient de plus en plus passionnés. La main de Claudine en profita pour se précipiter sur mon sein et dans un élan imprévu, nous roulâmes dans l'édredon. Le reste ne fut qu'un jeu; rapidement nous nous retrouvâmes nues et dans notre folie, nous ne sûmes plus si nous mangions du caviar ou sucions nos bouts de seins.

Je versai du champagne dans le nombril de Claudine, puis lapai le précieux liquide en approchant de plus en plus ma langue de l'antre magique de ma compagne. Elle avait attaqué mes longues jambes et remontait le long de mes cuisses en me caressant de ses mains et me couvrant de baisers. Je sentis sa langue atteindre les poils doux de mon pubis. J'enfonçai la mienne dans son antre.

L'après-midi même, nous étions encore inexpertes des jeux de Lesbos. L'espace d'une soirée, nous apprîmes tout naturellement, presque sauvagement, les méandres de sensations nouvelles et de plaisirs infinis.

Je n'étais plus vierge. Deux ans auparavant, j'avais forniqué avec mon cousin Pierre, mon aîné, qui m'avait déflorée, lui avec plaisir, moi avec déception de n'avoir pas connu l'extase à laquelle je m'attendais. Mais avec Claudine, cette aventure m'offrait l'apprentissage de tous les fruits défendus. Nous étions au jardin des délices et nous avions un désir féroce de tout connaître de nos corps et de nos sexes.

Après nos préliminaires gastronomiques, nous nous retrouvâmes dans mon lit, explorant de nos doigts nos fentes respectives, caressant nos clitoris, nos lèvres petites et grandes, faisant le tour de l'aréole de nos seins, découvrant la sensibilité de nos muscles, de notre peau, de nos lèvres qui semblaient s'apprivoiser indéfiniment. L'exploration de nos corps nous apprit des positions insensées ; nos vulves se touchèrent et s'aimèrent, nos clitoris jouèrent ensemble, nos doigts forcèrent nos rosettes et glissèrent le long de nos fentes. Nous roulâmes l'une sur l'autre, glissant tête-bêche nos langues au fond de nos antres presque liquides. Puis, épuisées, nous nous endormîmes, enchevêtrées et heureuses. Mes souvenirs garderaient de cette expérience une émotion sublime. Hélas, les années qui suivirent nous éloignèrent l'une de l'autre. J'appris que Claudine s'était vite fait une réputation de « Marie couche-toi là » au sein du petit univers intellectuel gravitant autour du clocher de Saint-Germain-des-Prés.

Mon rendez-vous avec Jean

Le soleil matinal perçant à travers les rideaux de ma chambre me réveilla. De la fenêtre ouverte sur la cour intérieure de mon immeuble, un vieux marronnier hébergeait un merle sifflant à plein gosier. Je regardai ma montre, il était à peine neuf heures. Enfilant mes mules et ma robe de chambre, je passai à la cuisine d'où émanait une bonne odeur de café frais. Consuela avait apporté des croissants au beurre. J'ai goûté à des milliers de croissants, en Suisse, au Québec, aux Seychelles, à Berlin ou à Londres. Seuls les croissants parisiens sont synonymes pour moi de l'art de vivre par excellence de la Ville lumière.

Comme une petite fille, je trempai mes croissants dans le café au lait. Je triai ensuite le paquet de lettres que Consuela avait soigneusement fait sécher et classées dans le tiroir de la table de cuisine, même les lettres abîmées par l'eau de la baignoire. Des cartons d'invitation à des vernissages, à des dîners, à des sauteries, des lettres d'amis, encore lisibles par endroits, de connaissances rencontrées lors d'un voyage, les inévitables factures, électricité, téléphone, taxe d'eau, et les innombrables emmerdes propres à la vie quotidienne à Paris, prospectus et cartes de fidélité de chez Fauchon ou de la Marquise de Sévigné et ses horribles chocolats. Je fis trois paquets, le premier, comprenant les invitations périmées, le second, celles des événements encore à venir auxquels j'assisterais peut-être. Le troisième, contenant les lettres d'amis et de connaissances, fut rangé dans mon secrétaire. Les prospectus, eux, allèrent directement à la corbeille à papier. Seule la lettre de Maureen fut mise de côté sur ma table de toilette. J'en prendrais connaissance dès mon retour. Pour le moment, je devais me préparer pour ce déjeuner avec Jean et réfléchir à ce que je voulais lui dire.

Après une bonne douche, je me maquillai sobrement, poudrai mon cou avec une houppette de cygne et enfilai une robe pas trop démodée, pas trop décolletée et volontairement bcbg. Je voulais éviter que le chauffeur de mon frère, dont je connaissais trop bien le regard égrillard, passe son temps à me fixer dans son rétroviseur avec l'espoir d'apercevoir le haut d'une cuisse ou le fond de mon décolleté.

Et puis je m'attendais à un déjeuner tendu avec Jean qui ne manquerait pas de me faire remarquer qu'il était grand temps que je me range et que je fasse, comme il disait, «une belle fin». J'étais justement venue pour parler de cela, mais avais-je vraiment envie d'être mariée? La vie est si courte... Comment penser faire une fin avec un seul homme et une ribambelle de gosses pour assurer l'avenir de mon nom en le juxtaposant à celui d'un mari nanti, uniquement pour respecter les normes familiales? Et puis, si d'aventure je devais avoir un amant, quels efforts ne faudrait-il pas déployer pour éviter un scandale?

Toute à mes réflexions, je réalisai soudain que l'heure était venue où le char d'assaut américain du cher frère allait m'embarquer pour une promenade de m'as-tu-vu jusqu'au bar du Crillon.

Quelques minutes plus tard, la voiture traversait la place de la Concorde, passait devant l'Automobile Club et s'arrêtait à la porte du Crillon. Un groom à toque rouge se précipita pour ouvrir la portière et me souhaiter la bienvenue. Au bar, je demandai la table de mon frère. Il avait ses habitudes et le maître d'hôtel lui réservait toujours une table de coin au fond de la salle, où les immenses glaces reflétaient les visages des clients qui fréquentaient cet endroit prestigieux. Jean s'asseyait face au reste du bar, sous l'éternel prétexte de pouvoir ainsi saluer les convives qu'il connaissait. C'était son petit travers voyeur, il aimait épier ses amis et connaissances et fantasmer sur leurs rendez-vous plus ou moins clandestins, généralement anodins. Jean avait une mémoire prodigieuse, ce qui lui permettait de suivre les derniers avatars des couples légitimes et illégitimes de la bonne société parisienne.

L'établissement était encore presque vide quand la haute stature de Jean apparut. Il arriva comme au pas de charge et se planta sur le côté de ma chaise, me prit le bras tendrement, me soulevant délicatement et une fois debout, m'embrassa en me serrant dans ses bras. Je n'en revenais tout bonnement pas. Jean, habituellement si réservé, adepte du baisemain et à la limite, d'une caresse amicale sur le bras, le cher Jean me serrait dans ses bras, ému, balbutiant un:

— Comme ça me fait plaisir de te voir!

Un Jean sans sa réserve d'homme du monde, embrassant sa sœur comme si c'était sa maîtresse au bar du Crillon !

Mon frère avait donc changé à ce point ? La dernière fois où nous nous étions vus, c'était en compagnie de sa femme presque laide qui me regardait comme une pestiférée et de sa marmaille piailleuse et pleurnicheuse... Jean, lui, était raide comme un i majuscule.

Il s'assit, lourdement, comme un homme las et sans énergie. Il me regarda d'un air bienveillant, légèrement malicieux, lissant les quelques cheveux qui lui restaient avec le plat de sa main, un geste qui le suivait depuis l'enfance. Un silence momentané s'installa avant qu'il ne se décide à prendre la parole.

— Christine, je suis sur le point de divorcer... Je sais que tu es venue me demander conseil, mais je crois que ton grand frère a, ces temps-ci, plus besoin de tes conseils que toi des siens. Du reste, comment pourrais-je te conseiller, je divorce, je vis un cauchemar, je n'ai aucune expérience d'une vraie vie, je suis amoureux d'une jolie femme, mon ex a fichu le camp dans un de ses châteaux et ne me laisse même pas voir mes enfants. Je vis à l'hôtel et mes comptes de banque sont gelés par son avocat. De plus, elle me menace de dévoiler au fisc le peu d'argent qui me reste en Suisse si je ne lui paie pas une pension, une rançon devrais-je dire...

Jean avait prononcé ces mots sur un ton que je ne lui connaissais pas, la voix presque chevrotante d'un être brisé. Je n'arrivais pas à croire que le Jean qui m'avait toujours impressionnée par sa superbe et sa prestance était le même que l'homme devant moi, ce Jean vaincu, diminué, aux yeux de chien battu qui me laissait pantoise. Celui qui m'avait tant vanté les vertus de la vie familiale, d'une vie rangée, des cercles d'amis triés sur le volet avec lesquels on partageait une existence étale comme la mer à marée haute, sans soubresaut ni fantaisie, était là, devant moi, comme un gamin dépossédé de ses jouets préférés. Il avait voulu se défaire d'une mégère à particule autoritaire et acariâtre pour la remplacer par une amourette d'adolescent, et voilà que tout son univers avait basculé.

Et moi qui venais lui demander conseil au sujet de la demande en mariage d'un lord argenté et dévergondé qui me ferait virevolter dans une société décadente, aux charmes insoupçonnés du marivaudage à l'anglaise! Les rôles étaient dorénavant inversés. Je devais consoler un homme qui avait la larme à l'œil, le cœur à l'envers et l'âme en panne sèche. Il me fallait prendre les choses en main. Adieu mes projets de mariage avec l'héritier de sir Edward auxquels je ne tenais pas trop de toute façon, adieu les reproches de Jean sur ma vie dépravée et bonjour les problèmes d'un frère qui me faisait craquer et que je trouvais attendrissant dans son malheur. À moi donc, l'inconséquente, la volage, la mission de remettre en état la destinée toute cabossée d'un grand frère chéri.

— Tout d'abord, tu vas quitter ton hôtel. Mon appartement est trois fois trop grand pour moi. Nous allons te déménager illico et tu pourras t'installer dans l'ancien bureau de Père, qui, du reste, n'a pas changé depuis sa mort. Sa bibliothèque te servira de chambre puisqu'elle est attenante à sa salle de bain privée. Tu seras ainsi chez toi et comme j'occupe l'aile droite, tu ne seras pas incommodé par ma vie frivole et mes amis olé-olé. Ton arrivée réjouira Consuela qui pourra enfin s'occuper de quelqu'un. Et puis, l'adresse est bonne, ça impressionnera ton ex qui me déteste cordialement et qui n'osera pas s'approcher de l'appartement tant elle me prend pour une tigresse. Et puis, Jean, cela m'amusera de défendre ta réputation dans le tout-Paris et de médire abondamment sur toutes les saletés dont elle t'a abreuvé. Alors, après le déjeuner, je m'occupe de toi...

Jean leva vers moi ses yeux éplorés de saint Hubert, étonné par cette marque soudaine d'intérêt à son égard. Il était la seule famille proche qui me restait. Et puis, la méchanceté de son ex me donnait un argument de plus pour le dorloter, lui dont le mariage guindé m'avait gardée éloignée. À la crème brûlée, Jean, ragaillardi par le madiran et la perspective de revenir dans l'antre paternel, était tout sourire.

— Tu sais Christine, je me réjouis de vivre quelque temps avec toi. Je ne pensais pas que tu m'offrirais cette possibilité. Oh, je tâcherai de ne pas t'importuner trop longtemps, rassure-toi, mais tu sais, au fond, j'ai toujours envié ta vie, j'ai toujours été attiré par tes libertinages et ton indépendance devant la société. Je t'admirais sans que tu le saches, je te grondais un peu pour la forme, mais au fond, je t'admirais...

— Eh bien voilà, tu vivras chez ta petite sœur, et je me promets bien de faire de toi le plus grand débauché de Paris !

Jean esquissa un sourire.

— Au fait, qui est l'heureuse élue de tes nouvelles amours ?

Jean me regarda, hésita un moment, puis marmonna :

— Elle s'appelle Claudine Aubriac, je crois que tu la connais...

J'étais abasourdie. Ainsi cette infatigable petite garce avait réussi à embobiner mon propre frère au point que ce dernier avait abandonné dans un naufrage cataclysmique châteaux, pavillon de chasse, voitures, chevaux et chiens, femme et enfants ! C'en était trop ! J'étais consternée de voir mon frère complètement démoli à cause de cette guêpe malfaisante et nymphomane.

J'allais écraser cette punaise, démolir le peu de réputation qui lui restait, la remettre sur le trottoir d'où elle venait.

— Jean, oui, je la connais, je la connais même si bien que je vais te donner un seul conseil. Quitte cette innommable catin le plus vite possible. Ce soir même, tu lui téléphones et tu lui dis que tu pars au Kamchatka et qu'elle aille se faire cuire un œuf à Manille. Claudine a déjà été une bonne amie, elle est devenue mon allergie préférée. Hier soir encore, elle était au Muniche en train de se faire peloter par un jeune fils à papa qui lui promettait Dieu sait quoi si elle succombait à ses charmes.

Je repris mon souffle avant de poursuivre :

— Et Jean, la gaupe ratisse tout ce qui peut lui rapporter quelque chose vite fait bien fait. Alors, quitte-la, envoie-la au diable Vauvert et sauve ce qui te reste de bonté et de dignité pour un fruit plus délectable. Je t'en présenterai un s'il le faut, Jean chéri... Mais pas cette traînée, non, elle te fera souffrir et te piquera ce qui te reste de pognon avant de te laisser tomber comme une vieille chaussette. Si tu n'as pas le courage de l'appeler, c'est moi qui le ferai. Et je t'assure qu'après mon coup de téléphone, elle disparaîtra de la circulation comme par miracle !

J'étais dans un état de rage incontrôlable. Jean, éberlué, m'assura qu'il ne me connaissait pas sous le jour de Méduse châtiant les coupables. Le maître d'hôtel lui présenta la note, il sortit sa carte American Express puis appela son chauffeur sur son portable. Nous sortîmes du Crillon, le soleil apparut à travers les nuages, le groom referma sur nous la portière de la Cadillac et Jean demanda de passer à son hôtel avant de nous conduire rue Jacob. Une heure plus tard, Jean s'installait chez moi. Consuela, un peu éberluée par ce déménagement précipité, prit les deux valises de mon frère et les transporta dans le bureau de Père. Je lui donnai mes instructions afin qu'elle prépare le canapé-lit de la bibliothèque et l'avertis que Jean resterait quelque temps chez moi sans en préciser les raisons.

Jean, installé dans un fauteuil du boudoir, semblait défait et incapable d'appeler Claudine dont il était toujours amoureux. Tout ce que je lui avais raconté ne changeait rien à ses sentiments. Je lui expliquai que c'était une condition *sine qua non* pour qu'il s'installe chez moi : je ne voulais surtout pas revoir Claudine chez moi, même si elle y avait laissé en son temps de bons et chauds souvenirs. Il s'enferma dans la bibliothèque à reculons, le téléphone cellulaire à la main, malgré tout décidé à régler son problème.

Consuela entra pour demander si nous dînions à la maison. Un dîner à la maison allait inévitablement ramener le sujet du divorce de Jean sur le tapis. Je préférais dîner à l'extérieur et donnai congé à Consuela pour la soirée. Pourquoi ne pas aller nous amuser un peu ? Jean avait grand besoin de distraction ; je lui fis part de mon idée lorsqu'il émergea de la bibliothèque. Il acquiesça sans manifester trop d'entrain.

Apparemment, la conversation téléphonique avec cette guêpe de Claudine ne s'était pas bien déroulée. Il m'expliqua qu'elle l'avait tout simplement envoyé paître, lui affirmant que tous les hommes étaient immédiatement remplaçables, surtout ceux qui baisaient mal, et lorsque Jean lui avait demandé quand elle comptait lui rembourser les cinquante mille francs qu'il lui avait avancés un soir de dèche, la garce avait répondu qu'elle considérait la somme comme une indemnité pour les heures qu'elle avait daigné lui consacrer. Jean devrait passer son prêt par pertes et profits. C'était bien dans les habitudes de la chère Claudine de faire payer ses services soi-disant «amoureux».

Dépité, Jean ajouta que la petite Aubriac désirait me voir ou tout au moins me parler à ce sujet. Alors là, il n'en était pas question. Je préférais avancer de l'argent à mon frère s'il en exprimait le besoin plutôt que de négocier avec Claudine un accord tordu. Je soulignai à Jean que selon moi, la seule chose qui intéressait Claudine était de se trouver un nom confortablement monnayé pour se caser. Jean représentait le parti idéal qu'elle pourrait rendre cocu le lendemain du mariage. Le pauvre garçon me regarda, incrédule devant tant de vénalité et de machiavélisme féminin. Je changeai de sujet et, soulignant que nous avions tous deux grand besoin de nous changer les idées, lui annonçai qu'il était mon invité pour la soirée et que je lui réservais quelque surprise.

— J'ai envie de te dévergonder un peu. Entre frère et sœur, je ne cours pas grand risque et je suis persuadée que tu ne me violeras pas sans me demander la permission! Que dirais-tu d'une petite virée Chez Sorlut? C'est décadent à souhait, on y bouffe mal, mais quelle ambiance!

Jean ne pipa mot. Je retrouvai le numéro de téléphone dans mon carnet et réservai une table pour le dîner. Il ne me restait plus qu'à enfiler une robe. J'envoyai Jean se mettre en tenue décontractée. Il revint cinq minutes plus tard, après avoir fait un brin de toilette. Il avait retiré sa cravate mais conservé le costume rayé et sa chemise Burberry avec boutons de manchettes en or. Décidément, Jean nécessitait une sérieuse reprise en main du côté vestimentaire.

Au moment où il entrait dans ma chambre, j'étais sur le point d'enfiler ma robe et il me trouva à moitié nue, sans culottes mais avec bas et jarretelles, ce qui immédiatement empourpra son visage. Je lui demandai s'il avait jamais vu son ex en petite tenue. Il me répondit ingénument :

— Oui, mais pas en si petite tenue...

Il y avait un commencement à tout, et je le sentais flatté et émoustillé de sortir avec une femme sexy. Il est vrai qu'avec la sécheresse légendaire de son ex, Jean avait peu l'habitude des appâts féminins aguicheurs, à l'exception peut-être de ceux de Claudine qui les avait chèrement monnayés.

Nous sautâmes dans un taxi et une demi-heure plus tard, nous débarquions à Pigalle devant Chez Sorlut. Le décor de l'endroit, du plus pur style bistrot, n'a rien de particulièrement subtil : un océan de soutiens-gorge et de petites culottes agite ses vagues au-dessus des tables et des banquettes qui longent les murs. Comme les tables individuelles sont inexistantes, la bonne fortune vous permettra d'avoir des voisins agréables sinon entreprenants. Jean m'avoua qu'il n'arrivait pas à croire qu'un tel établissement puisse exister à Paris. Il ne mit cependant pas beaucoup de temps à se dérider et à apprécier l'endroit et les serveuses qu'il était difficile d'imaginer plus court-vêtues.

Nous commandâmes une bouteille de pouilly-fuissé qui nous servirait d'apéritif. Le restaurant commençait à se remplir et le patron, la casquette sur la tête, vint installer nos voisins de droite, un couple qui sentait bon la province venue s'encanailler à Paris. Elle, une jupe noire courte mais sobre et un chemisier qui laissait entrevoir un balconnet de dentelles, lui en sport chic, une chemise Lacoste ouverte sur un torse ensoleillé.

— Je m'appelle Nicole, se présenta notre voisine en collant un baiser humide sur la joue de Jean. Et lui, désignant son homme, c'est Yves, qui n'attendait que ça pour m'embrasser en m'attirant un peu trop fort contre lui.

D'autres convives s'installèrent à notre gauche, une jolie brune pulpeuse mais relativement vulgaire et son mec, du style vendeur d'autos chez Citroën. Je n'ai rien contre Citroën, mais j'ai toujours préféré les vendeurs de Jaguar ou de Morgan.

L'ambiance commençait à se réchauffer, le vin et les apéritifs aidant. Il n'y avait qu'un menu Chez Sorlut, simple mais acceptable! Le patron ne s'embarrassait pas du Larousse gastronomique dans sa cuisine. De toute façon, les clients ne fréquentaient pas l'endroit pour déguster des mets raffinés mais plutôt pour une franche rigolade, paillarde à souhait. La tradition voulait qu'après l'entrée et avant d'attaquer le plat principal, un guitariste, toujours le même, vienne égayer l'entracte avec des chansons de corps de garde, toujours les mêmes, que les clients, bon public, reprenaient en chœur.

Il y avait aussi la bégueule ou le crétin de service qui faisait office de tête de turc et qui déclenchait l'hilarité collective et par là même, une invitation à une licence générale. L'autre rite de Chez Sorlut, c'était que toute cliente portant encore un soutien-gorge à l'arrivée du plat principal devait immédiatement en faire don au patron sous peine d'être privée de dessert et autres délices, tout ceci dans une atmosphère bon vivant et bien française. Mon cher Jean, complètement déridé, s'amusait ferme et ne s'objecta pas lorsque la pulpeuse Nicole se mit à lui caresser la cuisse et à remonter insensiblement sa main à un niveau qui met tous les hommes dignes de ce nom dans un émoi précurseur d'intentions de plus en plus rigides.

Mes voisins de gauche semblaient tout aussi prêts à se lancer dans des attouchements rapprochés. Mon vendeur de Citroën essayait d'attirer mon attention en bombant outrageusement ses pectoraux ornés d'une chaîne en or dix carats et de poils noirs hirsutes, ce qui, malheureusement, produisait chez moi l'effet contraire à celui recherché. Sa brune pulpeuse frottait son bas résille contre mon mollet nu, n'obtenant là non plus aucune réaction digne de ce nom.

Installés sur la banquette, Jean et Nicole se permettaient des privautés de plus en plus coquines. Le mari de Nicole, assis sur une chaise et donc moins accessible, s'essayait à des manœuvres de rapprochement qui m'amusaient beaucoup.

Allais-je l'encourager ou me ferais-je désirer ? Voyant que Jean avait entrepris la belle Nicole et que cette dernière était plus que prodigue de ses charmes certains, laissant les mains de Jean s'aventurer dans des terrains certainement plus vierges mais encore sauvages, je décidai d'encourager mon provincial voisin en laissant ma robe remonter plus que de raison sur mes cuisses bronzées. Sur le thème de la confidence, ce qui lui permit de rapprocher sa chaise, il passa son bras gauche autour de mes épaules. Il sentait bon l'eau de lavande de qualité, probablement de Fragonard, et sa main gauche sur mes épaules nues réveilla mes sens encore un peu endormis. Tout en me racontant les dernières polissonneries commises avec sa femme dans une bergerie fameuse de Sainte-Maure-en-Touraine, il en profita pour glisser sa main gauche dans mon entrejambe et remonter vers un but précis qui me fit mouiller par avance.

La soirée était bien partie, mais, le dessert avalé, il nous fallait trouver un endroit un peu plus intime si nous voulions aller tous les quatre au-delà des limites normalement acceptées dans un établissement de restauration. Nous décidâmes de nous rendre Chez Chris et Manu, endroit bien connu des couples parisiens libérés où nous pourrions, seuls ou avec d'autres, continuer notre exploration des plaisirs échangistes.

Jean me demanda en catimini si ce n'était pas dangereux pour sa réputation professionnelle de fréquenter un tel endroit. Je lui expliquai que s'il rencontrait une relation d'affaires, voire un ami Chez Chris et Manu, ni lui ni son interlocuteur ne s'empresserait de l'annoncer sur la place publique. Et je lui assurai par ailleurs que deux personnes qui «savent» sont plus portées à avoir des relations étroites, les médisances n'ayant pas cours dans un endroit où les parties en présence participent aux mêmes plaisirs. Je le rassurai donc, et il nous suivit, intrigué par la suite des événements.

Nous prîmes un taxi et quelques instants plus tard, nous débarquions rue de Rivoli, à deux pas de l'enseigne bleue de Chez Chris et Manu. Il y avait déjà foule et l'atmosphère torride de l'endroit ne tarda pas à nous replonger là où nous nous étions arrêtés, Jean, Nicole, son mari et moi. Je constatai que mon cher frère avait une virilité dont il pouvait être fier et que la belle Nicole appréciait à sa juste valeur, dans sa bouche, dans son antre accueillante que je trouvai moi aussi particulièrement tentante et dans sa rosette qu'elle présenta à Jean pendant que je suçais ses lèvres à la saveur poivrée. Yves n'était pas mal non plus, mais son registre des préliminaires était un peu court à mon goût. Il était délicat mais trop impatient de me pénétrer, excité par ma vulve imberbe qui le fascinait; ce ne fut que grâce à Nicole et à son art de me lécher et de me caresser de ses doigts diaboliques que j'atteignis un orgasme fulgurant qui me précipita, sans m'en rendre compte, dans les bras de mon frère qui eut instinctivement un geste de recul. Le pauvre chéri n'était pas encore mûr à l'idée de commettre l'inceste avec sa sœur.

Calmés, une heure plus tard, l'aube approchant, nous échangeâmes nos adresses, nous promettant de nous revoir. Jean héla un taxi et la rue Jacob nous apparut bientôt comme le havre où nous trouverions un sommeil réparateur.

Le lendemain matin, nous petit déjeunâmes fort tard, sous l'œil inquisiteur de Consuela. Jean avait des valises sous les yeux et je ne devais être guère mieux. Mon grand frère s'absorba dans la lecture du *Figaro*, n'ayant aucun désir de parler de notre soirée, un sujet qu'il jugeait probablement embarrassant. Il quitta enfin son journal pour me demander:

— Christine, pourquoi n'achèterais-tu pas une voiture? Mon ex m'a piqué mes deux voitures sport et je ne peux actuellement prendre le risque d'en acheter une pour me la faire saisir par son avocat.

— Je n'ai jamais pensé à m'acheter une pompe mon cher frère, je voyage trop, je ne saurais que faire d'une voiture qui traînerait dans la cour à longueur de mois. Il y a déjà la 2 CV du cousin Charles qui y rouille, lâchement abandonnée.

Jean m'assura qu'il me la louerait lorsque je serais absente et il m'offrit même de payer les vignettes et les assurances. C'était la première fois que nous discutions, Jean et moi, d'achats et d'affaires. Je lui dis qu'au fond, je ne voyais pas d'inconvénients à acheter une voiture à la condition qu'il veuille bien s'en occuper. Mais je ne voulais pas n'importe quelle bagnole, sans caractère et sans charme. Jean fut étonné lorsque je lui annonçai que j'achèterais sans hésiter une Jaguar Mark II 3 litres 8 de 1964 ou 1965. Il me regarda, incrédule, croyant que je plaisantais. Et je rajoutai qu'il fallait qu'elle soit en état concours. Il me demanda:

— Comment se fait-il que tu sois au fait des caractéristiques des voitures de collection?

Je lui confiai que mes amis anglais étaient des fanatiques de ce genre de voitures et que, pour eux comme pour moi, une voiture devait avoir de la classe, de la race et du nerf. Jean fut éberlué. Il m'annonça qu'il irait chercher un magazine de voitures de collection au kiosque du boulevard Saint-Germain, et que nous irions ensemble à la découverte de la merveille s'il réussissait à mettre la main sur l'oiseau rare...

Ma voiture

Depuis mon enfance, j'avais toujours eu un faible pour ces voitures mythiques que l'on voyait souvent garées sur les allées de gravier de certains châteaux où nous étions invités. Père avait une Hotchkiss Cabourg, un merveilleux cabriolet qui faisait la joie de mes promenades de petite fille sur les planches de Deauville ou la plage de La Baule.

Quelques jours après que Jean eut déménagé chez moi et pris ses quartiers dans l'ancienne bibliothèque de Père, il rentra de son bureau tout énervé. Il m'annonça qu'il avait trouvé la perle rare, une Jaguar Mark II de 1963 en état concours. Il était tellement excité par sa découverte qu'il m'emmena séance tenante en taxi jusque dans une sombre impasse de Levallois près de la Seine. Au sous-sol d'un immeuble locatif sans charme, je découvris l'antre aux trésors et tombai sous le charme.

Jean travaillait à sa banque d'une façon plus ou moins soutenue et devait s'occuper de visiteurs de marque. Il avait peu de temps à me consacrer, si bien que la semaine d'attente qui précéda la livraison de ma voiture me parut interminable.

Nous eûmes cependant une soirée à nous et j'en profitai pour lui raconter les détails de ma demande en mariage. Il fut amusé d'apprendre comment j'avais rencontré Anthony, intrigué par la description de la soirée chez Maud et sir Edward, mais surtout, franchement étonné que la demande en mariage ait été faite par sir Edward au nom de son rejeton quelque peu illégitime. La réaction de Jean n'était pas négative dans son ensemble ; seul l'aspect familial de la situation le perturbait. Il se demandait comment je pourrais concilier ma vie de femme libertine et une maternité éventuelle. Jean voyait déjà une ribambelle de rejetons geignards accrochés aux basques d'une mère dénaturée et plus portée sur les plaisirs de la chair que sur l'allaitement. Et puis il m'imaginait mal déguisée en lady aux côtés d'un mari siégeant à la Chambre des Lords et devenu, par la force des choses, fort ennuyeux à la longue.

Sa réponse n'était pas celle que j'attendais. Je pensais que Jean serait enchanté de me voir enfin casée, menant une vie rangée, en apparence du moins, à l'écart d'amis plus ou moins sulfureux avec lesquels je me complaisais. Jean semblait au contraire apprécier au plus haut point mes vagabondages et mes aventures aux quatre coins du monde. Il était fasciné par mes rencontres, demanda une foule de détails sur ma vie à Montréal notamment, voulut en savoir plus sur Maureen dont je lui avais parlé pendant que nous terminions notre repas. Bref, je finis par comprendre que la demande en mariage faite par sir Edward était le cadet de ses soucis et qu'il se préoccupait comme d'une guigne d'Anthony qu'il n'imaginait tout simplement pas comme un futur membre de la famille.

Puis nous parlâmes voiture, un sujet qui l'intéressait mille fois plus qu'un éventuel beau-frère. Jean suggéra que nous allions passer le week-end à La Baule. C'était le début de la saison et nous y rencontrerions certainement des connaissances. J'approuvai, cela me permettrait d'apprivoiser ma voiture à travers la campagne mancelle ; j'ajoutai que nous pourrions nous arrêter à la Messaline pour une soirée mémorable. Jean, après quelques explications sur ce lieu fameux de libertinage situé dans un vieux relais de poste, approuva l'idée. Nous partirions donc le vendredi après-midi en direction de la côte nantaise.

Oinville-Saint-Liphard

Le week-end arrivé, nous partîmes en balade. Ayant opté pour la Nationale plutôt que l'autoroute, Jean et moi prîmes la route de La Baule en passant par Chartres pour nous arrêter en soirée à Oinville-Saint-Liphard. Par ce bel après-midi de printemps, la route déroulait son ruban d'asphalte à travers les champs de blé de la Beauce ; nous nous sentions comblés, moi au volant de mon superbe bolide et lui, grillant une cigarette, le coude sur la portière, le visage au vent, heureux d'avoir enfin retrouvé une certaine joie de vivre.

Je voulais que Jean découvre un endroit qui, à mes yeux, représentait la quintessence des plaisirs échangistes dans un décor entièrement consacré aux activités charnelles.

Après un arrêt incontournable à Chartres pour revoir la cathédrale et les magnifiques vitraux aux bleus lumineux et séraphiques de sa grande rosace, nous reprîmes le chemin des écoliers en direction d'Orléans. En cours de route, je commençai à préparer Jean à ce qu'il allait découvrir dans mon endroit de débauche préféré.

La Messaline était un ancien relais de poste sur la route des diligences qui faisaient le trajet entre Orléans et Paris. Cet ensemble architectural datant du XVIIe siècle comprenait toujours les bâtiments qui servaient à l'époque au repos des voyageurs et de leur équipage. Au milieu d'un immense mur de pierre s'ouvrait l'arche de la porte cochère à deux battants qui donnait accès à une vaste cour intérieure.

À gauche, le grand corps de logis destiné aux voyageurs, les cuisines, la salle à manger ornée d'une cheminée monumentale, quelques salles plus cossues pour les voyageurs de marque, et à l'étage, les chambres, douillettes et confortables, certaines à plusieurs lits, d'autres plus intimes. Enfin, à l'étage supérieur, les alcôves et dortoirs destinés aux serviteurs, valets et cochers.

Au fond de la cour, les écuries et l'immense fenil engrangeant le foin, la paille et les céréales destinés aux chevaux de poste. Quelques chambres, avec des paillasses fraîches, accueillaient palefreniers et hommes de peine.

À gauche des écuries, les remises à voitures, la forge et la menuiserie où l'on garait, réparait et astiquait diligences, voitures privées et charrois du commerce.

L'ensemble immobilier de la Messaline avait été restauré avec soin par les propriétaires, Paul et Élise, tous deux anciens danseurs vedettes du Lido de Paris, qui avaient choisi de transformer l'endroit en lieu de libertinage sophistiqué, une façon idéale de gagner leur vie tout en s'amusant avec des gens de qualité. Ne fréquentait pas l'endroit qui voulait. Il fallait être parrainé par un membre du club et passer une soirée de probation avant d'être admis comme membre de la Messaline.

La nuit commençait à tomber lorsque nous atteignîmes le village d'Oinville-Saint-Liphard, loin des grandes routes trop fréquentées. J'arrêtai la voiture sur la place du village et téléphonai à Élise, la tenancière. Une fois que nous nous fûmes annoncés, les battants de la porte cochère s'ouvrirent automatiquement à l'approche de l'automobile. Jean profita du bref arrêt pour admirer la vieille église et les maisons qui la bordaient. Quelques minutes plus tard, nous garions la voiture dans la cour. Élise vint à notre rencontre et je retrouvai avec joie une amie de longue date, encore belle et attirante malgré quelques ridules aux coins de ses magnifiques yeux bleus. Je lui présentai mon frère. Élise s'étonna de me voir à la Messaline avec quelqu'un de ma famille.

— Je suis venue le dévergonder..., fis-je à Élise qui éclata de rire.

— Tu connais la maison, alors tu fais ce que tu veux, je retourne aux cuisines et Paul est au bar si vous voulez boire quelque chose. Le dîner est à vingt heures, comme à l'accoutumée.

Après que nous nous fûmes installés à une chambre de l'étage, j'emmenai Jean faire une visite des lieux. Dans la remise aménagée en piscine couverte, avec sauna et hammam, déjà deux couples se prélassaient.

Nous nous dirigeâmes vers les anciennes écuries transformées en discothèque un peu particulière. Des estrades avaient été construites tout autour de la piste de danse ronde qui ressemblait à un cirque en miniature. Derrière les estrades, les mangeoires avaient été remplacées par des banquettes et des instruments aratoires, bêches, pelles, râteaux et autres étaient disposés de façon à pouvoir attacher bras ou pieds pour des jeux sado-masochistes. Quelques petits recoins bien capitonnés avaient été prévus pour des activités plus intimes.

Nous traversâmes la cour pour entrer dans le corps de logis. Dans la salle à manger d'une grande simplicité, deux grandes tables de réfectoire, probablement venues tout droit d'une abbaye ou d'un couvent des environs, avec leurs longs bancs, occupaient le centre de la pièce tout en profondeur. Au fond, une vraie barrique avec son robinet, prête à délivrer le vin du repas. Les tables avaient été dressées et n'attendaient que les convives. À droite, dans l'immense cheminée, deux belles pièces de viande rôtissaient déjà.

Le bar nous accueillit, avec ses tables originales faites de vieux tonneaux, entourées de fauteuils et de canapés de cuir rouge confortables et profonds. Une porte française donnait sur une salle dont l'unique éclairage provenait de larges aquariums où frétillaient de magnifiques poissons aux couleurs tropicales. Ornée de divans, de fauteuils et de récamières, cette salle était vraiment prévue pour des rencontres collectives. Un épais tapis recouvrait les dalles de grès noires.

Pour clore la visite, j'entraînai Jean au premier étage où se trouvaient des pièces communicantes, avec des lits et des coussins immenses et des tentures de voile qui préservaient l'intimité des chambres tout en permettant aux voyeurs et exhibitionnistes de tout poil de profiter discrètement des jeux et des plaisirs des autres membres de ce club bien spécial.

Nous redescendîmes au bar où déjà des couples faisaient connaissance. Des femmes souvent très belles et racées, certaines très typées, aux accoutrements sado-masochistes, plusieurs beaux hommes, d'autres moins beaux mais charmants et évidemment quelques hommes sans attraits apparents mais qui devaient avoir d'autres qualités pour être accompagnés d'aussi ravissantes compagnes.

Les règles de la Messaline exigeaient une confidentialité totale, seuls les prénoms étaient échangés dans les présentations et encore, certains couples adoptaient pour l'occasion des prénoms sortis tout droit de leur imaginaire du moment. Il était aussi strictement interdit aux membres de parler affaires au cours des soirées.

C'est ainsi que nous fîmes la connaissance d'une somptueuse Élisabeth à l'accent traînant d'une grande bourgeoise de province et de son amant Roland qui engagea la conversation. Comme toujours, ces préliminaires permettaient à leurs auteurs de se faire une idée plus ou moins juste de leurs interlocuteurs et de confirmer une attirance instinctive. Le couple plut à Jean qui dévorait des yeux Élisabeth, grande et mince, au teint mat de brune. Ses cheveux relevés en chignon donnaient à cette très jolie femme un petit air désuet mais qui collait bien à son personnage. Ses grands yeux bruns, presque mordorés, légèrement enfoncés, faisaient jouer les ombres de l'arcade sourcilière. Avec son nez mutin, sa bouche grande aux lèvres charnues, Élisabeth avait un charme fou, encore souligné par une longue robe de soie noire au décolleté vertigineux laissant le dos nu jusqu'à la taille. La poitrine bien dessinée mais petite était ornée d'une torsade de perles qui jouait avec les rondeurs de ses seins. Élisabeth était une très belle femme et Jean, en homme galant, s'empressa de lui offrir une coupe de champagne. Pendant que Jean se dirigeait vers le bar, je restai près d'Élisabeth apparemment fascinée par la légèreté de ma robe qui détaillait avantageusement les courbes de mon corps. J'avais mis un collier de chien en perles de corail rouge qui relevait encore le rouge écarlate de ma robe courte. Le fauteuil m'obligeait à croiser les jambes pour rester décente, mais ma robe laissait paraître une grande partie de mes cuisses basanées.

Élisabeth m'informa que des amis devaient les rejoindre et me demanda s'il nous serait agréable de nous joindre à leurs couples. Je lui appris que Jean était mon frère et non mon amant, ce qui sembla l'émoustiller, et ajoutai que nous les rejoindrions avec plaisir pour le dîner. Jean et Roland réapparurent avec une bouteille de champagne que Roland déposa sur la table et, à la demande de sa maîtresse, alla réserver six places à une table de la salle à manger.

Roland semblait apprécier la situation qu'Élisabeth venait de lui décrire et commença à loucher abondamment vers mon décolleté. Il jugeait en connaisseur pendant que Jean, en grande forme, commençait son travail d'approche auprès de la jeune femme.

Les amis d'Élisabeth se joignirent bientôt à nous et nous fîmes la connaissance de Julia, une petite femme au corps nerveux, au teint méditerranéen, aux cheveux frisés, avec des yeux de jais. Son partenaire, Guy, était un beau gosse, nonchalant ; il portait une chemise blanche ouverte sur un torse imberbe et bronzé. Je compris que les deux couples se connaissaient depuis longtemps et qu'ils n'en étaient pas à leur première soirée d'échangistes. Guy semblait lui aussi attiré par la nouvelle venue, en l'occurrence moi, et je compris très vite que j'aurais affaire à deux prétendants, peut-être rivaux, chacun bien décidé à ne pas lâcher sa proie. Je me dis que Jean aurait fort à faire pour s'occuper d'Élisabeth et de Julia. Nous constituions, Jean et moi, l'attraction pour nos nouveaux amis et j'anticipais plusieurs heures d'intenses activités sensorielles. Jean ne semblait pas se plaindre de sa bonne fortune.

Le bar avait fait le plein de convives et les regards s'attardaient avec convoitise sur les futurs acteurs de la soirée. On lançait des coups d'œil, on détaillait les appâts des uns et des autres, on cherchait à se ménager une place près du couple convoité. La tension était palpable, chacun essayant de se trouver des affinités. Certains couples, plus timides et réservés, semblaient un peu effarouchés par l'excitation ambiante, d'autres acceptaient les avances d'un couple plus accrocheur ou plus polisson.

Un gong retentit. Les convives se dirigèrent vers la salle à manger, enjambant les bancs et profitant de l'exercice pour palper un dos, un bras, une main, une hanche, un corps souvent complice. La bonne bouffe et le vin coulant à profusion firent merveille pour délier les langues et les mains qui se mirent à parcourir des itinéraires de plus en plus coquins ; l'ambiance devint torride, on ressentit bientôt la chaleur des corps à la merci de gestes d'une audace grandissante.

Le dîner tira à sa fin, certains convives abandonnèrent la table pour passer à des jeux plus sérieux, d'autres profitèrent des desserts pour entreprendre quelques polissonneries. Une femme, un peu grise, s'assit au bout de la table, sa robe remontée au-dessus de la taille, laissa son compagnon du moment garnir son sexe de crème fouettée, invitant à la cantonade les autres convives à venir lécher ce qu'elle considérait être un dessert de choix. Les voyeurs tardant à s'exécuter, son compagnon entreprit de se gaver de crème au son des petits cris hystériques de la fêtarde. La soirée était lancée.

Il faut savoir aller trop loin

Les deux couples ainsi que Jean et moi étions assis dans le bar à deviser sur tout et sur rien. Jean tenait affectueusement Élisabeth par les épaules, échangeant déjà des baisers passionnés. La petite Julia les couvait des yeux, se frottant contre Jean, un bras entourant la taille d'Élisabeth. Elle avait de la peine à se frayer un chemin jusqu'aux lèvres de Jean, sa tête levée n'atteignant qu'à peine le haut du buste de mon frère. Mais les trois compères ne se souciaient plus de nous, accaparés par une passion qui les emportait vers leurs fantasmes. J'avais fort à faire moi-même à m'occuper de Roland et de Guy dont les doigts envahissaient mon corps de toutes parts. Assise dans un grand fauteuil de cuir, j'étais investie par des mains baladeuses et curieuses de découvrir mon anatomie.

Je décidai d'emmener notre sextuor à la discothèque. Nous frayant un passage à travers les autres convives, main dans la main, nous traversâmes la cour comme une joyeuse bande échevelée. Accueillis par une musique endiablée, nos corps se déhanchèrent voluptueusement. Cet exercice permit à chacun d'exhiber ses talents, les femmes excellant à se trémousser d'une façon d'abord sexy, puis nettement provocante. Soudain, le rythme changea, faisant place à un slow qui immédiatement rapprocha les corps. Notre sextuor devint plus intime, la main de Roland se faufila un passage sous le corsage de ma robe pour me caresser un sein.

En face de moi, Jean s'occupait activement d'Élisabeth qui dansait amoureusement, enlacée à son cou, tandis que Julia avait laissé la main de mon frère s'aventurer dans son décolleté. Guy ne demandait pas mieux que de me serrer contre lui en me prenant par la taille. Il s'aperçut très vite que j'étais nue sous ma robe et en profita pour remonter le long de ma cuisse et me caresser les fesses. Les hommes décidèrent de faire cercle autour de nous et nous nous retrouvâmes, les trois femmes, comme emprisonnées par nos beaux mâles. Julia mit ses bras autour de mon cou et se colla à moi. Élisabeth, plus grande, ses longues cuisses appuyées contre Julia et moi, se frottait contre nos corps. Je réalisai qu'Élisabeth était aussi nue sous sa robe. Seule Julia portait un minuscule string et un soutien-gorge demi-buste qui poussait les pointes de ses seins à l'air libre. Elle avait des aréoles très foncées et des bouts de sein durs et très longs.

Nous dansions maintenant, si l'on peut dire, collées les unes aux autres, nos mains occupées à se caresser et à découvrir la douceur de nos peaux respectives. Puis la musique changea encore et la configuration de notre sextuor aussi. Je me retrouvai entre Roland et Guy qui avaient entrepris de me séduire par une partition à quatre mains qui pianotaient de plus en plus intimement et indécemment sur mon corps. Ma robe, relevée par les soins de Guy, ne cachait plus mes fesses qui étaient investies par la queue rigide de Guy qui, malheureusement, était encore retenue par son pantalon. Roland avait dénudé mes épaules, faisant tomber les minces bretelles de ma robe, ce qui lui donnait un accès illimité à ma poitrine et provoquait une grande effervescence de ses doigts agiles et de son membre qui s'agitait contre mon pubis. Je jetai un œil vers mon frère qui avait initié un sandwich d'un nouveau genre ; la petite Julia, enserrée entre Jean et Élisabeth, semblait en transe, accrochée au cou de Jean, le dos plaqué contre Élisabeth qui tenait Jean par la taille.

Nous eûmes encore l'indécence de nous trémousser pendant un autre slow, puis nous nous dirigeâmes tous les six vers un des petits recoins aménagés en retrait de la discothèque. La musique nous parvenait néanmoins, mais plus atténuée. Je n'avais plus grand-chose à cacher, ma robe à la taille, mes seins nus à la merci de Roland et ma chatte entreprise par Guy. Je me débarrassai de ma robe que je suspendis à une dent d'un râteau à foin, puis je m'attaquai à la ceinture de Roland. Les hommes étaient encore tous les trois habillés, je m'acharnai donc à faire sauter boutons et fermetures éclair. Roland fut le premier à exhiber sa queue longue et fine ; Guy était encore en chemise, le corps très bronzé muni d'un engin non négligeable. Les filles s'en prenaient à Jean, littéralement investi par quatre mains agiles qui ne furent pas longues à saisir sa queue et à lui administrer des caresses qui aboutirent très vite à une double fellation, la bouche d'Élisabeth succédant à la bouche de Julia. Les filles étaient déchaînées.

Je pris la queue de Guy dans mes mains, décalottant doucement le gland que je pris délicatement entre mes lèvres. J'initiai une fellation que Guy sembla apprécier pendant que Roland, qui s'était frayé un chemin avec sa langue jusqu'à ma vulve imberbe, s'activait entre mes grandes lèvres, titillant mon clitoris. J'étais ouverte, une jambe pliée, le pied posé sur la banquette, l'autre par terre, ce qui écartait ma chatte et la rendait accessible aux doigts de Roland qui avaient rejoint sa langue et qui s'activaient à la recherche de l'entrée de mon vagin. Je suçai la queue de Guy avec délices, lui arrachant des petits cris de plaisir chaque fois qu'elle pénétrait jusqu'au fond de ma gorge.

Roland s'activait toujours, un doigt dans mon vagin et un autre excitant doucement ma rosette. Je mouillais déjà abondamment, ce qui lui facilita la pénétration anale. Je commençais vraiment à être très excitée, et la découverte de Jean faisant un cunnilingus savant à Élisabeth pendant que Julia lui administrait une fellation que je qualifierai d'extrême me mit au bord de l'orgasme. Guy ressentit la vague de plaisir qui me submergeait et explosa dans ma bouche. Mon orgasme fut tellement puissant que Roland fut inondé de ma jouissance.

Le spectacle continuait en face de nous. Julia, les yeux exorbités, la bouche ouverte, masturbait Jean qui lâcha un flot de sperme sur son visage. Élisabeth, les deux mains retenant la tête de mon frère, jouissait elle aussi, le pubis en avant, forçant sa jouissance dans la bouche de Jean. Le moment avait été érotique à souhait, seul Roland n'avait pas eu sa part et comptait bien se rattraper au cours de la soirée.

Notre petit groupe décida de se rendre à la piscine après avoir pris une bonne douche. Le premier à plonger fut Jean, Roland et Élisabeth suivirent, puis nous sautâmes à notre tour, Julia, Guy et moi, nous tenant par la main. Quelques brasses nous délièrent les muscles, puis chacun se précipita au hammam. La vapeur estompait nos silhouettes et nous nous retrouvâmes avec d'autres invités sur les banquettes de céramique bleue. Julia était près de moi, elle me caressa les seins, s'approcha de mon oreille.

— Je peux te toucher? demanda-t-elle d'une petite voix presque inaudible.

Je la pris par les épaules et l'embrassai. Son petit corps de femme était dur, musclé, le ventre plat se perdait dans un mont de Vénus proéminent. Elle vint se mettre à califourchon sur mes cuisses, assise sur moi et me faisant face. Je me laissai aller contre le mur et elle en profita pour se blottir contre moi, le corps perlé de transpiration, ses seins ronds et fermes, ses mamelons turgescents contre ma poitrine, sa bouche dure aux lèvres charnues m'embrassa et sa langue s'infiltra entre les miennes. Ses petites dents mordillèrent mes lèvres. Elle investit ma bouche d'un long baiser passionné, tout son corps se frottant au mien, excitant mes seins, mon cou. Son pubis exigeant essayait d'ouvrir mes cuisses pour aller à la rencontre de ma vulve.

Je commençai à ressentir l'urgence de son désir et je pris un de ses seins dans ma bouche. Le bout était dur, rigide et infiniment sensible à ma langue et à mes lèvres. Je la mordillai délicatement et tirai avec mes dents ce bourgeon érectile. Julia poussa un petit râle et son pubis s'écrasa contre le mien. Elle avait joui dans mes bras et haletait. Elle se coucha sur la banquette, la tête sur mes cuisses, pendant qu'une main sortie de nulle part lui caressait les jambes. Je posai ma main sur son pubis glabre et écartai ses grandes lèvres avec mes doigts. Les lèvres de son sexe étaient anormalement grandes et dépassaient sa vulve comme la coquille d'une moule ouverte. Mon index découvrit son clitoris; lui aussi ressemblait à un petit pénis que je sentais en érection et dur entre mes doigts. Elle renversa son bassin pour m'en faciliter l'accès et mes doigts explorèrent son vagin. Elle mit ses deux mains sur mes doigts et elle commença à onduler, poussant ma main en elle, comme si un pénis la pénétrait. Elle s'agita de plus en plus, puis jouit une deuxième fois aussi intensément que la première. Puis elle se lova contre moi.

J'aperçus Roland qui venait me rejoindre. Sans grand préambule, Julia lui prit le sexe, le masturba, puis me le présenta. Roland était debout devant moi. Julia m'obligea doucement à me retourner et à me mettre à genoux pour offrir mes fesses ouvertes à Roland qui s'approcha. Il pénétra dans ma vulve avec douceur; Julia, étendue sous mes jambes, lui prit les couilles dans une main et les serra, et ce fut elle qui imprima un mouvement d'une extrême lenteur à Roland, son autre main caressant doucement mon clitoris, en alternance avec sa langue qui titillait mes grandes lèvres avec délectation. Le mouvement de Roland exacerbait mon sexe qui aurait voulu qu'il s'accéléra, mais Julia maintenait le rythme, serrant les couilles de

Roland et léchant inexorablement mon clitoris. Ce dernier commença à ahaner, ses rugissements devinrent de plus en plus forts, attirant tous les voyeurs du hammam, hommes et femmes. Je me mis à trembler, la jouissance montant si fort dans mon sexe qui semblait attendre chaque coup de boutoir en se contractant sur la verge introduite avec une lenteur calculée qui me rendait démente. Roland buta contre mes fesses en lâchant un cri, je sentis la main de Julia qui tirait sur les couilles, empêchant le sexe de Roland de se retirer. Il m'inonda et sa chaleur me fit jouir dans un grand soubresaut de mon corps et dans un long cri rauque. Finalement Julia lâcha les couilles de Roland qui se redressa, hagard, et s'assit sur la banquette. Mes genoux douloureux me firent revenir à la réalité et je retrouvai aussi la banquette avec délices. Les voyeurs qui avaient assisté à cette baise douce et intense se perdirent à nouveau dans la vapeur. Je m'aperçus que Julia avait disparu.

Je sortis du hammam, allai prendre une douche afin de reprendre mes sens, puis j'attrapai un grand peignoir blanc à capuchon et m'installai sur une chaise longue au bord de la piscine. Je somnolai pendant un certain temps, malgré les cris et les murmures des baigneurs, imperturbable. Puis quelqu'un me prit par la main, c'était Jean, entouré par toute la bande, tous habillés du même peignoir. Ils m'entraînèrent à travers la cour jusqu'au bar. La nuit était douce et la lune baignait la cour d'une lumière presque irréelle. J'avais très soif et deux verres d'eau minérale me firent grand bien. Puis notre petit groupe monta à l'étage, repu mais épuisé. Nous choisîmes une grande alcôve avec deux immenses lits. Jean s'éclipsa avec Élisabeth et ils s'enlacèrent très vite, presque amoureusement. Julia, Roland et Guy occupèrent l'autre lit où je m'allongeai aussi, langoureusement enfouie dans d'énormes coussins de soie grège.

Je ne fus pas étonnée de voir Julia reprendre l'initiative. Elle entreprit de caresser Roland et finalement engloutit sa verge qu'elle commença à sucer avec lenteur, les joues creusées par l'effort de succion de ses lèvres sur le membre. Roland se laissait faire, confortablement étendu.

Guy s'installa près de moi et caressa mes seins. Ses doigts faisaient le tour de mes mamelons pour les exciter et bientôt je ressentis un plaisir diffus émanant de mon buste qui se soulevait maintenant à chaque passage des mains de Guy. Il me regardait en souriant et le petit manège qu'il avait amorcé commençait à produire un effet certain sur sa virilité qui montrait des signes d'impatience. Je décidai de le laisser continuer son manège sans vraiment l'encourager.

Puis soudain, on entendit un grand cri traverser l'alcôve. Julia s'était déplacée, abandonnant sa fellation, et s'était accroupie sur Roland en lui tenant la queue qu'elle s'introduisit dans le vagin. Telle une mécanique bien huilée, Julia s'enfonçait à répétition sur le membre de Roland avec une violence qui faisait saillir tous les muscles de son corps. Elle balançait sa tête bouclée d'avant en arrière, les yeux révulsés, prise par l'intensité de l'acte. Roland, le corps presque rigide, semblait ressentir les assauts de Julia comme un martyr entrevoyant la porte du paradis. Le spectacle était d'une fureur magnifique et plusieurs couples voyeurs s'étaient rapprochés du lit pour contempler cette baise intense. Les deux amants jouirent au même moment dans une longue plainte, à la limite de l'extase et de la douleur pendant que les spectateurs, hommes et femmes réunis, se caressaient et se masturbaient, saisis et troublés par la contemplation de la sauvagerie de l'assaut de Julia.

Puis tous s'éclipsèrent, nous laissant, Julia et moi, seules dans l'immense lit. Je m'enfonçai dans les coussins, Julia couchée en chien de fusil contre moi. Je nous couvris avec nos peignoirs et nous sombrâmes dans les bras de Morphée.

Je me réveillai à l'aube, les premiers rayons du soleil jouant à cache-cache dans les branches du tilleul centenaire qui donnait sur ma chambre. Tout était calme, au loin un coq chanta pour réveiller sa basse-cour. Quelques couples, encore endormis, gisaient sur les lits des alcôves. Je me levai, en prenant soin de ne pas réveiller Julia, en-filai mon peignoir et descendis à la salle à manger. Élise avait déjà préparé les petits déjeuners, une montagne de croissants attendaient les affamés et le café chaud embaumait la pièce. J'attrapai un crois-sant, me servis un jus d'orange, puis je sortis dans la cour en direc-tion de la piscine. Je plongeai, et après cinq allers et retours, je me sentis en pleine forme. J'allai récupérer ma robe toujours pendue à une dent d'un râteau à foin dans la discothèque, et me dirigeais vers ma voiture. J'ouvris le coffre, sortis quelques vêtements de mon sac puis je montai à l'étage, passai une paire de bermudas, un tee-shirt et des sandales.

N'eût été de Jean, j'étais prête à partir. Mais mon diable de frère manquait à l'appel. Je croisai Élise qui m'invita à prendre un café à la cuisine.

— Je te rejoins dès que j'aurai récupéré mon frère, fis-je. Je me lançai à sa recherche et finis par le retrouver enlacé, nu, Élisabeth ten-drement lovée dans ses bras. Je le secouai doucement, il se réveilla, mit un doigt sur sa bouche en faisant « chut ! ».

Je lui fis comprendre que je l'attendrais à la salle à manger et j'allai rejoindre Élise. La plupart des couples étaient déjà partis. Seuls quel-ques attardés arrivaient à la salle à manger, l'air endormi et défait par la nuit torride, prenaient un café et réglaient leur note. Je question-nai Élise :

— Roland et Guy sont-ils déjà partis ?

Elle me fit signe que oui, et ajouta :

— Ils accompagnaient Julia qui était maintenue par les deux hommes. Elle n'avait pas l'air en très grande forme.

— Mais alors, comment se fait-il que la compagne de Roland dorme toujours dans les bras de mon frère ?

Élise eut un sourire.

— Je connais bien Élisabeth, je pense qu'elle a finalement trouvé chaussure à son pied…

J'essayai d'en savoir plus, mais Élise ne voulut rien ajouter. Il ne me restait qu'à attendre le réveil des tourtereaux.

Le départ pour La Baule

J'étais en train de siroter mon café quand surgirent Jean et Élisabeth, tous les deux enfouis dans leur peignoir trop large. Ils s'assirent à la table et burent un jus d'orange.

— Aurais-tu dans tes affaires quelque chose à prêter à Élisabeth pour la rendre décente ? Elle ne trouve plus sa robe.

Je me dis qu'il n'y avait rien d'étonnant à ce que la robe ait disparu dans la tourmente de la veille. Elle avait cependant retrouvé ses sandalettes à hauts talons. J'allai voir à la voiture ce que je pouvais trouver et revins avec un pantalon corsaire et une camisole. Comme elle était plus mince que moi, elle n'aurait aucun problème à mettre mes fringues.

Je lui demandai pourquoi Roland était parti sans elle. Elle fit un geste de la main que je compris comme un « aucune importance » et elle ajouta :

— Pas une grosse perte.

Jean suggéra qu'on la ramène chez elle en allant à La Baule. Élisabeth habitait à Châteaudun, ce n'était même pas un détour pour nous ; nous irions donc la reconduire chez elle. Ayant retrouvé son sac à main qu'elle avait confié à Élise, elle alla se refaire une beauté. Je regardai mon frère perdu dans ses pensées.

— Alors elle te plaît ? lui fis-je.

— Oui, c'est une fille intéressante et qui a du chien.

Jean m'avoua qu'il était accroché, qu'Élisabeth ne lui était pas indifférente, que c'était son type de femme. Je n'en doutais pas, seulement mon frère semblait développer rapidement une fâcheuse tendance à croire que toutes les femmes qu'il rencontrait étaient son type…

Je ne lui en voulus pas. Il alla chercher ses habits à la discothèque et revint avec son pantalon et sa chemise passablement défraîchis. Je réglai la note et embrassai Élise au moment où Élisabeth, fraîche et pimpante, nous rejoignait. Je m'installai au volant de la Jaguar, Jean à mes côtés et Élisabeth sur la banquette arrière. Élise nous ouvrit la porte cochère et nous prîmes la route en direction de Châteaudun, ville considérée comme la porte d'entrée des châteaux de la Loire. Une quarantaine de kilomètres à peine nous en séparaient. Ce fut assez pour apprendre qu'Élisabeth était née dans cette petite ville de la vallée du Loir. Fille de notable, elle avait épousé un hobereau du coin dont elle avait vite divorcé pour indigence mentale, comme elle le disait elle-même. Elle travaillait comme assistante d'un médecin et gérait son temps libre comme elle l'entendait. Roland était un bon copain, mais Élisabeth n'envisageait pas une vie à deux avec le personnage en question qui manquait trop de sérieux, selon elle.

Élisabeth avait une semaine de vacances devant elle, Jean sauta évidemment sur l'occasion. Le médecin était en congrès dans les Caraïbes, et Jean trouva l'idée formidable d'emmener la jeune femme avec nous jusqu'à La Baule.

Devant l'enthousiasme de Jean, je décidai de lui faire plaisir et lui donnai mon accord. Élisabeth mit son bras autour de mon cou et m'embrassa sur la joue.

— Merci, tu es formidable ! fit-elle. Je passe en vitesse chez moi et je prends quelques fringues.

Nous arrivions à Châteaudun et nous eûmes droit à un coup d'œil sur le château qui surplombait le Loir endormi comme un miroir. Élisabeth nous conduisit au cœur de la vieille ville, où elle occupait un vaste appartement dans un hôtel particulier de la rue des Huileries.

La fenêtre du salon ouvrait largement sur une perspective qui offrait une vue unique sur le château qui fut la résidence du plus célèbre compagnon de Jeanne d'Arc, le beau Dunois, dont la chronique nous rappelle qu'il fut «l'un des plus beaux parleurs qui fust de la langue de France». Il avait de qui tenir puisqu'il était le fils bâtard de Louis d'Orléans, le poète qui séduisit Henriette d'Enghien...

Élisabeth nous cria depuis sa fenêtre qu'elle était prête. Elle apparut dans une jupe fleurie et un blouson de bohémienne qui accentuait la clarté de son teint. Nous étions prêts à poursuivre notre route.

Je passai le volant à Jean et Élisabeth s'assit à ses côtés pendant que je me prélassais sur la banquette arrière. Jean avait choisi la route qui serpentait le Loir en direction de Vendôme et de La Flèche. Le paysage paisible de la douce France faisait surgir de mon enfance les œuvres des poètes de la Pléiade. Nous arrêtâmes pour le déjeuner au Gué-du-Loir, endroit cher à Alfred de Musset.

L'après-midi, nous roulâmes en direction d'Angers qui se profilait à l'horizon. Nous rejoignîmes l'autoroute qui passait au pied du château royal baigné par le Maine. L'autoroute apportait sa monotonie, Jean discutait avec Élisabeth et je me mis à somnoler. Dans un demi-rêve, je revis mon appartement de Montréal, la douceur des réveils sous le soleil qui illuminait ma chambre, les jours de plaisirs passés avec Maureen et une nostalgie de ce pays neuf, encore presque inconnu pour moi, me saisit. Je décidai qu'après les quelques jours passés à La Baule, je rentrerais à Paris, ferais mes valises et commanderais un billet de première chez Air France pour retrouver ce cher Québec.

La voiture traversa Nantes puis Saint-Nazaire et nous arrivâmes à La Baule où la mer s'offrit à nous. Les souvenirs d'enfance resurgirent dans ma mémoire. La grande maison de l'oncle Édouard qui accueillait cousins et cousines pour l'été, les baignades sur la plage et les premiers émois, cachés derrière les buissons de camélias et d'églantines.

La grande maison était fermée, et le fils unique d'Édouard, mon cousin Charles, devait être en train de traquer papillons ou tortues à l'autre bout de la planète. L'oncle Édouard ne sortait plus guère de son hôtel particulier de Paris. On racontait à son sujet que le vieil homme entretenait tout un monde sulfureux dans ses appartements et l'ex-femme de Jean ne manquait pas d'alimenter régulièrement la chronique par des ouï-dire glanés chez les commerçants de Saint-Germain-des-Prés.

Jean arrêta la voiture devant l'Ermitage, notre hôtel préféré. Le portier et le bagagiste s'occupèrent de nos affaires. Jean me tendit ma clé et je suivis le garçon d'étage jusqu'à ma chambre. J'ouvris la porte-fenêtre, la mer était là, et je respirai une grande bouffée d'air iodé apporté par le vent du large. Je restai là, appuyée sur le balcon de fer forgé, immobile devant l'immensité de la mer, regardant les vagues qui venaient mourir sur la plage de sable blanc.

J'étais soudain heureuse, pleine d'un bonheur fait de souvenirs et d'attentes. Là-bas, de l'autre côté de l'océan, le Québec me tendait les bras...